DE MOOISTE KLEUR DIE NIET BESTAAT

Maartje Laterveer

De mooiste kleur die niet bestaat

ROMAN

MEULENHOFF

Voor mijn moeder

Vormgeving omslag Roald Triebels
Vormgeving binnenwerk Adriaan de Jonge
Foto voorzijde omslag Jürgen Lottenburger
Foto auteur Nadine Maas

ISBN 978-90-290-8860-2
ISBN 978-94-602-3391-3 (e-boek)
NUR 301
www.meulenhoff.nl

Oost-Berlijn, oktober 1967, Mulackstraße

Het was de nacht waarin de herfst de zomer verjoeg. Ze hadden die middag nog hun jas opengeknoopt en op de zachte bladeren gezeten. Güdrun had zelfs gegrapt dat ze nog wel een duik konden nemen. Maar nu kroop de kou door de kieren van het raam en lagen de lakens koel op hun kippenvel, hoe dicht ze ook tegen elkaar aan kropen.

'Het is tijd voor de deken,' besliste Güdrun en ze sprong moedig uit bed. Onderweg naar de kast bleef ze dralen. Julia hoorde hoe de grammofoonspeler begon te draaien en de naald krakend zijn weg zocht naar de eerste tonen. De deken viel op de lakens. Haar zus klom er weer onder en trok het zware dek tot over hun hoofden, tot ze voor de buitenwacht niet meer waren dan een bult van paardenhaar in een cocon van klanken.

Julia voelde Güdruns adem, in warme vlagen tegen haar gezicht. Ze zag de blosjes van opwinding bijna oplichten in het donker. Die had haar zus altijd als ze iets wilde vertellen wat *zij* niet mochten horen.

'Welke kleur zou vrijheid hebben?'

Julia moest daar even over nadenken. Niet omdat het om een vaag begrip ging, ze hadden immers al een tijd geleden besloten dat ook dingen die je niet kon vastpakken een kleur konden hebben. Strengheid, bijvoorbeeld, had de kleur van Frau Müllers uniform. Duifgrijs. Vrolijk was bladergroen, omdat Güdrun blij werd als de bomen bladeren kregen. Julia werd dan juist altijd somber, maar daarvoor had ze nog geen kleur gevonden. Al had ze er inmiddels zeker een handigheid in ontwikkeld om begrippen direct aan een kleur te verbinden. Had Frau Hagen het bijvoorbeeld over fascisme, dan kleurde Julia het woord in haar hoofd inktzwart, zo zwart als de swastika die haar dreigend aanstaarde vanaf de pagina's van haar geschiedenisboek. Jodenhaat gaf ze een bloedrood label, naar de achtergrondkleur van de vlag die Hitler had ontworpen. Julia was trots dat ze een kleur had gevonden voor zo'n staatsvijandelijk begrip, maar Güdrun had haar schouders opgehaald. De staat haat joden ook, zei ze, zoals ze iedereen haten die in iemand anders dan Lenin gelooft. Staatsvijandelijk, bedacht ze meteen daarop met een plotse blos op haar mooie gezicht, dat woord an sich moest wel roze zijn. Geen rood en geen wit; de mooiste kleur die niet bestaat. Julia had haar hele kleurdoos omgekeerd, maar er geen roze potlood in kunnen ontdekken. Als iets geen plaats had in hun kleurencatalogus, dan had het geen plaats in hun leven, dat hadden ze afgesproken. Dus staatsvijandelijk bestond voor hen niet. Je weet niet half hoe waar dat is, had Güdrun zachtjes gezegd en ze had Julia stevig tegen zich aan getrokken.

'Roze.'

Ze voelde dat Güdrun haar hoofd schudde. 'Geen roze. Het moet een kleur zijn waar jij een potlood van hebt.'

'Blauw.' Julia zei maar wat, de eerste kleur die in haar opkwam. Van blauw had ze er wel vijf, in verschillende schakeringen van licht naar donker. De donkerste, die bijna tegen het paars aan liep, was haar lievelingskleur. Winterblauw noemde ze het, naar de kleur die hun lippen kregen als Berlijn werd verborgen onder een dikke laag sneeuw die de scheuren in de stoep bedekte en een stilte ademde die niet onheilspellend was.

'Blauw als wat?'
'Blauw als de lucht. Luchtblauw.'
'Ik dacht dat de lucht grijs was.'
'Meestal, ja. Maar soms is ze blauw, als de zon schijnt en de vogels fluiten.'
'Maar de zon schijnt hier toch nooit.'
'Nee, da's waar.' Julia ging op haar rug liggen en voelde de deken op de botten in haar heupen rusten. 'Wel op tekeningen. Als mensen een tekening van de lucht maken, dan kleuren ze die blauw, met een gele zon.'
'Maar wat heeft een tekening met vrijheid te maken?'
'Ja, weet ik veel. Wat doe je moeilijk. En waarom liggen we eigenlijk onder de deken, je vertelt toch niets.' Hun adem, klam en warm onder de deken, sloeg Julia plots in het gezicht en ze klapte het dek terug.
'Nee, gek,' siste Güdrun en ze trok aan Julia's arm. 'Doe terug. Ik heb niet voor niets de muziek aangezet.'
Julia sloeg hun dekmantel terug, de wol prikte tegen haar warme wangen. Ze zweeg.
Maar Güdrun zweeg ook.
Julia stak haar handen onder haar hemd en duwde tegen de stof. Het kleine beetje lucht onder de deken kietelde haar ribben en haar borsten, die twee platgeslagen erwtjes waren in vergelijking met de appeltjes van Güdrun.
'Een tekening heeft geen last van ogen en oren,' opperde ze.
'Hoezo niet van ogen?' wierp Güdrun tegen. 'Iedereen kan ongestraft naar een tekening loeren zonder dat die tekening dat in de gaten heeft.'
'Maar je kunt hem zo blauw maken als je zelf wilt, daar zal geen agent voor aan de deur komen.' Ze liet het hemd tegen haar huid knappen.
'Dat weet je niet.' Güdrun snoof. 'God weet welke staatsvij-

and in een blauwe lucht kan schuilen. Niets is zeker. Niet aan deze kant.'

Julia perste haar lippen op elkaar. Zoals altijd had haar zus een antwoord meer dan zij. Het enige wat zij nog kon verzinnen was een stilte, die aanzwol door hun adem. Ze lichtte de deken een stukje op en liet haar benen in de kou glijden.

'Nou, als je niets te vertellen hebt, dan ga ik weer naar mijn eigen bed.'

'Nee, nog niet.' Met een onverhoeds snelle beweging trok Güdrun haar terug in hun cocon. Julia rook de citroen waarmee ze haar haar had gewassen om het nog blonder te maken. IJdeltuit, zou hun moeder foeteren, voor ze zou losbarsten in een preek over de kostbaarheid van citrusfruit en de zonde van verspilling van voedsel in het algemeen. 'We moeten nog een kleur voor vrijheid verzinnen.'

Ik moet nog een kleur voor vrijheid verzinnen, zul je bedoelen, dacht Julia. 'Kan dat niet morgen? Straks moet ik weer geeuwen in de les en moet ik bij Frau Müller komen omdat ik staatsondermijnend lui ben.'

Güdrun zei niets, liet alleen haar vingers door Julia's haren glijden. Julia kon de warmte van haar huid voelen door de dunne katoen van haar nachthemd, dat rustig op en neer deinde met haar borsten. Een vinger bleef haken in een klit. 'Die zijn we vergeten,' mompelde Güdrun, terwijl ze hem zachtjes los probeerde te trekken.

'Ook dat kan morgen,' protesteerde Julia zonder overtuiging. Ze vond het heerlijk als haar zus door haar haren streek, en wist dat ze doorging tot die helemaal glad waren. Glad, zwart en dik, een echte Günzburg-bos. Güdrun kon het zeggen zonder een spoor van jaloezie, ook al had ze zelf het dunne bleke haar van hun moeder geërfd. Alleen al op die grootmoedigheid kon Julia jaloers zijn, want zij op haar beurt kon niet zonder afgunst kijken naar de taille en jukbeenderen die Güdrun ook van moederskant had meegekregen.

De klit liet zich niet zomaar ontwarren in het donker en Güdrun vloekte binnensmonds.

'Kom,' zei ze en ze glipte uit bed.

Julia sloeg de deken terug en keek verbaasd toe terwijl haar zus het nachtlampje aanknipte, naar haar bureau liep en een spiegel uit een la pakte. Ze zette hem neer op wat schriften en schoof met een uitnodigend gebaar de bureaustoel achteruit.

'Kom nou.' Güdrun wipte ongeduldig op en neer op haar blote voeten, alsof het een zaak van leven of dood was dat de klit onmiddellijk zou worden verwijderd.

Julia trok met tegenzin de deken van zich af. Normaal gesproken bestond er niets leukers dan kaptafeltje spelen aan het bureau van Güdrun, waar in alle lades verborgen schatten zaten als lipstick en nagellak die hun vader nog uit West had opgestuurd, maar nu speelden kou en slaap haar parten. Het was dat je tegen Güdrun geen nee kon zeggen.

'Ik dacht dat we zonodig onder de deken moesten,' mopperde Julia en ze liet zich op de stoel vallen. Vanuit de spiegel staarden een barst en vier zeeblauwe ogen terug, al hadden ze geen van tweeën ooit de zee gezien.

Güdrun pakte een kam en ging aan het werk. Julia zag in de spiegel hoe de anders zo ronde lippen van haar zus zich vertrokken tot een smalle streep, een teken dat ze zich concentreerde op haar taak. Julia's mond was altijd een smalle streep. Vooral haar bovenlip, waardoor het net leek of ze altijd chagrijnig keek. Ze had weleens geprobeerd hem met een plakbandje naar boven te plakken en zo te gaan slapen, maar voller werdie er niet van. Het plakband hield ook niet trouwens, dus werd ze 's ochtends wakker met een propje plakband onder haar neus en haar onveranderd sombere mond.

Güdrun hield haar handen een moment stil en bracht haar gezicht naast dat van Julia. 'Ik denk dat vrijheid de kleur van rozen heeft.'

'Van rozen?'

'Ssst, niet zo hard,' siste Güdrun met een driftige hoofdknik naar de muur. 'Wacht.' Ze liep naar de pick-up en zette het volume wat hoger.

'Straks wordt mama wakker.'

'Ach, die slaapt toch niet.' Güdrun pakte Julia's haar weer beet en kamde beetje bij beetje tegen de klit aan.

'Waarom van rozen?' fluisterde Julia zo hard mogelijk.

'Van dat liedje, je weet wel. Dat liedje dat papa altijd draaide.' En Güdrun zong in haar beste Frans, dwars door de plaat heen.

Julia moest lachen. Daar zwierde haar vader al door de keuken, op het ritme van de tranen van Edith Piaf, met een lach op zijn gezicht en een dochter aan elke broekspijp.

'Maar rozen kunnen allerlei kleuren hebben. Rood, geel, wit.'

'Precies!' riep Güdrun en ze stootte in haar enthousiasme de kam door de klit, die daar nog niet klaar voor was.

'Au!'

'Sorry.' Maar Güdrun lachte. 'Snap je het niet? Vrijheid kan alle kleuren hebben die je wilt. Jíj bepaalt de kleur van vrijheid. Ieder bepaalt dat zelf, dat is vrijheid. Dat is *la vie en rose*, mijn kleine Julchen,' riep ze triomfantelijk, en Julia liet zich onwillekeurig aansteken door de vrolijkheid in haar stem. De krakende klanken uit de pick-up konden hun stemvolume onmogelijk meer verhullen, maar wat gaf het. Dit ging om hun kleurenlexicon, en om misschien wel het belangrijkste woord erin.

'En welke kleur heeft jouw vrijheid dan?'

Güdrun legde met een plechtig gebaar de kam neer, voor ze haar gezicht weer naast dat van Julia bracht en haar in de spiegel aankeek.

'Groen.'

'Bladergroen?'

Ze schudde licht haar hoofd en glimlachte met een blik in haar ogen die Julia nog nooit had gezien. 'Spreegroen.'

Oost-Berlijn, oktober 1990, Mulackstraße

Julia strekt haar arm uit naar links. Ze rolt zich op en trekt het laken over zich heen. Haar neus vangt haar eigen warmte zonder iets te ruiken, want er is niemand wiens geur zich met de hare vermengt. Het bed is leeg.

Zo leeg als drieëntwintig jaar geleden, toen Güdrun niet op haar vertrouwde plek lag, tegen Julia's rug, niet in de kamer stond of zat of liep – dat wist Julia al zonder wakker te worden en haar hoofd boven de dekens te steken – niet in de gang, niet in de badkamer, niet in huis. Güdrun was niet in huis; die zekerheid rolde zich met elke seconde die Julia wakkerder werd steviger om haar keel, om daar nooit meer helemaal weg te gaan.

Daglicht dringt door het dunne laken. Ze sluit haar ogen. Nog niet wakker worden. Nog even niet.

Ze hoort Frida stommelen aan de andere kant van de muur. Julia ziet voor zich hoe haar moeder van haar bed naar de wastafel naar de kast loopt, haar dunne benen in sloffen. Ze was een oude vrouw in de deuropening gisteren, bleek en teer, alsof ze elk moment in lucht kon oplossen. Haar blik was leeg, alsof ze werkelijk geen gedachte kon plakken op het feit dat haar jongste dochter na al die jaren voor de deur stond.

Julia herkende de blik, de herinnering was vers als een open schram. Het was dezelfde blik waarmee haar moeder haar aankeek toen ze elkaar voor het eerst weer zagen, zeven jaar geleden. Frida was oud geworden, oud genoeg om naar West te mogen reizen, oud genoeg om Julia met een schok te doen beseffen dat een heel mensenleven hen scheidde. Een heel nieuw leven dat zij had opgebouwd in het Westen, een leven waar haar moeder niets van wist behalve de feiten: Julia woont in Amsterdam, ze is getrouwd met Ysbrand, heeft een zoon die Olivier heet, werkt als journalist bij een groot Nederlands dagblad. Punt. En na de punt niets. Een klik in de hoorn, gaten in brieven geknipt, ansichtkaarten die nooit aankwamen. Gevaar, ongrijpbaar als lucht, maar aanwezig in elk woord dat niet werd gezegd.

Vanaf het moment dat de trein uit Berlijn door de statige stenen bogen het station van Amsterdam binnenrolde, een vaalgroene kolos die piepend tot stilstand kwam, zocht Julia naar woorden. De laatste keer dat ze Duits had gesproken, was toen Olivier nog een baby was. Sinds zijn eerste woordje sprak Julia Nederlands met hem, dat leek Ysbrand beter. Julia ook, nog steeds. Maar ze weet nog hoe ze daar stond op dat perron en zocht, koortsachtig, naar klanken, zinnen, de juiste toon, het juiste woord. Haar moedertaal. En hoe de treindeuren zich onverbiddelijk openden, hoe Frida daar stond, bewegingloos, met een koffer in de hand, mensen die links en rechts langs haar schuurden, de wenkbrauwen gefronst omdat de oude dame niet in beweging kwam, niet uitstapte, alleen maar daar stond en naar haar dochter staarde, niet eens naar haar kleinzoon van drie jaar oud die al dagen op oma Berlijn wachtte en nu wegkroop achter Julia's hand. *Kom, mama, stap maar uit, zet een voet voor de andere en stap over de afstap, die muurhoge afstap, laat los die Duitse grond onder je voeten, laat hem achter je wegrijden, gauw, kom maar, je bent in West.* Julia wilde het wel zeggen, of iets in elk geval, iets wat die vaalgroene kolos sneller zou doen verdwijnen, terug naar het voltooide verleden, maar ze verstomde tegenover die blik. Frida keek alleen maar, en gaf nog geen teken van herkenning, alsof ze met onmiddellijke inrekening gestraft zou worden als ze zou glimlachen naar de dochter die ze vier jaar niet had gezien, de kleinzoon die ze nog nooit had gezien.

Frida zag er toen al grijs uit. Grijzer dan de mensen om haar heen, grijzer dan de lucht, die somber was voor een septembermorgen. Het zat hem niet eens in haar haar, dat was nog blond, en het zat hem evenmin in haar gestalte, die fier rechtop stond en zelfs dikker was dan Julia zich herinnerde. Het was haar gelaat, waarvan de trekken zo flets waren dat ze in elkaar over leken te lopen. En het waren haar kleren, haar mantel van een ondefinieerbare kleur als een zak om haar al even vale jurk, haar stappers met spekzolen, de kuiten als twee stoelpoten onder de rok van haar jurk. Onwillekeurig kromp Julia van schaamte, alsof ze een tiener was op een feestje waar haar moeder ongevraagd kwam aanzetten om haar dochter op te halen en en passant voorgoed de sluier over dier imago te lichten.

Pas later zou Julia beseffen dat het niet haar kleren waren, niet haar gelaat. Het was de omgeving die haar grijs maakte, de stad Amsterdam die haar paste als een twee maten te grote jas in een kleur die te fel was. Frida zou er vaker komen, best regelmatig zelfs; ze zou geen verjaardag van Olivier overslaan en Julia zou nog verbaasd staan om de lach die haar zoon bij haar moeder wist los te peuteren. Maar ondanks die lach, en ondanks alle twinsets en rokken in lila en perzikoranje die Julia voor haar moeder kocht in dure winkels in de Van Baerlestraat, zou Frida er in de straten van Julia's nieuwe thuisstad altijd bij lopen als een verweesde schim.

Dus wat had ze verwacht?

Toch trof de matheid in Frida's blik Julia gisteren net zo hard als de Berlijnse kou. Ze was hem niet vergeten, die kou, maar kennelijk was ze wel vergeten hoe die voelde, telkens weer scherper dan je verwacht, harder dan je aankunt. Net zo hard boorde de blik van Frida alle verwachtingen die Julia misschien had over dit nieuwe weerzien de grond in, ze voelde bijna hoe de glimlach van haar gezicht gleed en wegvloeide, door haar voeten over de mozaïektegels van het trappenhuis die net deden of het vooroorlogse achterhuis heel chic was.

'Ik ben er,' had Julia nogal overbodig uitgebracht.

Ze had in Frida's ogen een antwoord gezocht, maar het enige wat ze las was dat het herfst was. Een harde stilte was sinds die ene dag in oktober 1967 altijd Frida's reactie op de herfst die kwam en weer zou gaan.

'Dit wordt de eerste herfst zonder Güdrun, mam,' had Julia aanvankelijk nog geprobeerd.

Haar moeder had gezwegen.

'De eerste lente.'

Een blik, maar verder geen woord.

'Mama, het is een jaar geleden.'

Nu nog minder dan vroeger begrijpt Julia waarom haar moeder haar toen een klap gaf. Het was het begin van hun eigen koude oorlog.

Of misschien was voor Frida de oorlog wel al eerder begonnen. Zes jaar eerder, op die bewolkte zondag in augustus waarop hun vader zijn werktas volpropte met boeken en zei dat hij naar de universiteit ging. Maar de universiteit is dicht, zei Güdrun nog. Dat weet ik, zei hun vader. En hij gaf haar een zoen op het haar. Dat weet Julia nog, omdat ze het raar vond. Normaal gaf hij hun nooit een zoen op het haar als hij naar zijn werk ging. Maar nu gaf hij haar ook een zoen en hij zei tot gauw en toen hij bij de deur stond, keek hij om naar hun moeder. Een tel lang. Toen draaide hij zich om en hij sloot behoedzaam de deur achter zich, alsof hij er geen enkel geluid mee wilde maken. Alsof hij net wilde doen of hij niet ging, dacht Julia, maar ze zou niet weten voor wie hij dat dan had willen doen. Er was in de kamer niemand die hij voor de gek kon houden.

Julia durft nog steeds niet met zekerheid te zeggen dat Frida haar dochters niet verantwoordelijk heeft gehouden voor het vertrek van hun vader. Het was hun schuld dat zij in Oost moest blijven. Dat zij niet met hem mee kon om in West zomaar een nieuw leven te beginnen. Of waarschijnlijk liever nog, als het aan hun moeder lag, hun oude leven voort te zetten, met luide avonden en Edith Piaf en haar piano. Met alles wat langzaam maar zeker verdween.

Julia slaat het laken van zich af en pakt haar sigaretten van het nachtkastje. De nicotine trekt haar gehemelte droog. Smerig vindt ze het, zeker 's ochtends wanneer haar smaakpapillen nog niets te verduren hebben gehad. Een strook licht, flets als van een dag die geen zin heeft te beginnen, valt op de stoel voor het bureau, bruin hout met een metalen draaipoot. De stoel staat schuin gedraaid, alsof er net iemand van is opgestaan en er zo weer op zal plaatsnemen. Recht ertegenover aan de andere muur stond vroeger Julia's bureau. Het was het enige wat ze bij de straat hadden gezet, diezelfde oktoberdag nog, met de catalogus en haar potloden in de laatjes.

'Weet je het zeker?' had Alexander gevraagd.

Ze had geknikt, en hem later, jaren later, kwalijk genomen dat hij niet beter had geweten.

'Hoe kon ik weten dat die catalogus zo belangrijk voor je was,' had hij rustig als altijd geantwoord, 'ik wist niet eens van het bestaan ervan.'

Het klopt. Hij wist toen nog niets van haar. Het was instinct dat haar naar hem had gestuurd. Op school zat hij een bank achter haar, en zijn ogen over haar schouder waren de enige die ze als geruststellend ervaarde, waarom wist ze zelf ook niet. Het enige wat ze wist, al op het moment dat Frau Müller de klas binnenkwam om haar eruit te pikken, was dat ze niet mee wilde, naar boven de stenen trappen op, de kille gangen door, na twee keer kloppen van Frau Müller de deur door van de directeur. Ze wilde blijven zitten waar ze was, in dezelfde ruimte als Alexander, die rustig inademde, uitademde, zijn potlood in zijn rechterhand hield om aantekeningen te maken, zoals hij had gedaan voor Frau Müller binnenkwam en zoals hij zou doen wanneer ze weer weg was. Ze wilde niet mee, niet mee met de twee agenten, het schoolgebouw uit, de auto in, naar hun achterhuis, waar hun moeder aan de keukentafel zat met twee andere agenten. Zodra ze konden, joegen haar benen haar weg, de keuken uit, het huis uit, de trappen af, de deur uit, de straat over, de Alte Schönhauser, de Prenzlauer Allee, helemaal naar Alexanders huis, waar natuurlijk niemand thuis was en ze met kloppende kuiten op het stoepje zakte.

Julia scheurt een hoekje van haar sigarettenpakje en tikt de as erop. Ze trekt het laatje van het nachtkastje open en wurmt de foto los die nog steeds onder het bovenblad zit geplakt. Twee cognacbruine ogen kijken haar aan. Alexander draagt de gestreepte trui die zij op een lege zondag voor hem had gebreid. Voor een buitenstaander, iemand die hem niet kent en niet weet waar bij hem de twinkeling in zijn ogen zit, in de vlekjes die oplichten, verraadt niets in zijn blik wat hij haar even tevoren heeft ingefluisterd. Ze keert de foto om en ziet de onzichtbare woorden die hij er niet op had durven schrijven. Als ze wil, voelt ze ze nog kietelen langs haar oorschelp.

Toen Alexander de straat in kwam fietsen, wist hij het al. Ze zag het aan zijn ogen, en aan de manier waarop hij zijn fiets neergooide voor zijn voeten de grond raakten. Frau Müller was het vast in de klas komen vertellen, met een plechtig gezicht. Ze wilde hem zeggen nee, niet geloven wat ze zegt, het was geen ongeluk, Güdrun is niet van haar fiets gereden, ze was vannacht al weg ze is vanochtend niet op haar fiets gestapt ze is gaan zwemmen ze hebben haar doodgeschoten ik weet het zeker ze hebben gevuurd in de nacht en het water spatte op het zwarte water kleurde rood ze hebben nog een keer gevuurd misschien in haar hoofd in haar hart misschien haar schouder haar huid doorboord haar zachte warme huid ik weet het zeker ze hebben geschoten ze kon zo goed zwemmen, Güdrun –

Hij aaide over haar haren. Later zou ze het hem vertellen en zou hij daar kalm tegen ingaan. Hij zou haar op die momenten uitzinnig van woede maken met zijn eeuwige kalmte. Maar toen niet. Toen op dat stoepje aaide hij haar haren en was het of hij haar gedachten aaide. Ze wilde dat hij altijd haar gedachten aaide. Ze wilde dat hij mee naar huis ging. Naar huis, waar hun moeder was en Güdrun niet meer en voor haar in de plaats een stilte was gekomen, een kille stilte die de ogen en oren in de muren nog groter maakte. Alexander moest daar mee naartoe en haar beschermen tegen de stilte.

Hij ging mee, zonder te vragen waarom. Haar moeder stond aardappelen te schillen in de keuken, alsof het heel normaal was om aardappelen te schillen als je net je dochter hebt verloren. Ze stelde zich niet eens voor aan Alexander, zei alleen dat het goed was dat Julia een sterke jongen was gaan halen; er was een halve kamer naar beneden te sjouwen. Als Julia Alexanders kalmte niet naast haar had geweten, had ze nooit durven zeggen dat als er al een halve kamer de deur uit ging, dat haar helft zou zijn.

Julia's bureau was het enige wat ging. De rest van de kamer is nog steeds zoals hij toen bleef. De pick-up. Het behang. Zelfs Julia's oude bed staat er nog, onder het smalle raam. Ze heeft er nooit meer in geslapen, ze weet ook niet of iemand er überhaupt nog in heeft geslapen. De deken die erop ligt is niet de hare, de lichtblauwe sloop om het kussen herkent ze evenmin. Ondanks de strakke hand die het bed heeft opgemaakt, ziet het er verfomfaaid uit. Armoedig, zoals alles hier in huis. Nog armoediger dan in haar herinnering. Haar blik valt op haar jasje, aan een knaapje voor de kastdeur. De kast is een stuk lager dan ze dacht, zijn afgebladderde deuren zijn smal en hangen wezenloos in hun sponning. Het is een nietig oud ding eigenlijk, het is bespottelijk dat ze er ooit bang voor is geweest. Als gestifte lippen op een bleek gezicht steekt de rode wol af tegen het vale hout, haar dunne kousen hangen ernaast. Julia steekt haar tong uit tegen haar oude vijand.

Dan vloekt ze en schiet ze uit bed, de sigaret nog tussen haar lippen. Ze heeft gisteravond niet gezien dat spijkers en splinters vervaarlijk uit het hout van de kast steken. Met onmiskenbare weerstand scheurt de stof als ze de kousen van de deur grist. Haar ogen tranen van de rook. Ze smijt de kousen op de grond en drukt de sigaret uit in de provisorische asbak op het nachtkastje. Haar moeder klopt en steekt haar hoofd om de deur. Het ontbijt staat klaar.

'Rook je weer?'

Haar moeder vraagt het zonder op te kijken van de boterham die ze met boter besmeert.

'Ik ben nooit gestopt, toch?'

Frida laat een zoekende blik over de tafel gaan.

'Hoe moet ik dat weten.'

Julia trekt de ceintuur van de oude kamerjas nog iets steviger om haar middel. Ze weet niet precies wanneer de oorlog tussen haar en haar moeder is afgelopen. Alleen dat hij is afgelopen. Niet eens met veel woorden. Zonder woorden, eigenlijk. Alsof het een afspraak was hadden ze er geen van beiden over gesproken. De verwijten bleven stil, de woede brak in flarden. Het gemis bleef ongedeeld. Alleen zo, en dat wisten ze kennelijk allebei, konden tijd en verijdelde hoop de muur tussen hen doen afbrokkelen, steen voor steen, en konden herinneringen verloren gaan onder het gruis.

'Het is slecht, weet je dat?'

'Mm. Dat zeggen ze.'

Julia draait het deksel met een ferme beweging terug op de honingpot. Ze kijkt naar het etiket. Een haar onbekend merk, maar het heeft alle schijn van DDR-makelij. De simplistisch getekende bijen steken nog net geen strijdlustige vuist op. Hoezee, met vreugd en vlijt maken we volk en vaderland blij.

'Mam, heb jij kousen?'

'Kousen?' De vork blijft even halverwege bord en mond hangen. Heel even, maar lang genoeg voor Julia om te beseffen hoe stom haar vraag is. Natuurlijk heeft haar moeder geen kousen. Dan legt haar moeder abrupt haar vork neer, schuift haar stoel naar achteren en verdwijnt in haar slaapkamer.

Julia weet niet goed of ze moet blijven zitten of erachteraan moet. Ze neemt een hap van haar boterham en telt de kruimels op haar bord.

(De foto hangt nog steeds op dezelfde plek aan de muur. De foto is dezelfde, maar zoveel is anders. De meisjes zijn nog dezelfde. Het linkermeisje is mooi en blond; ze lacht met opengesperde ogen naar de man achter de camera en heeft haar beide armen om het rechtermeisje geslagen, een ernstig kijkende peuter met zwart piekhaar en twee knuistjes op de armen van haar grote zus. Julia was geen mooi kind, niet zoals Güdrun.

Ergens in de loop der jaren is dat bijgetrokken, maar zo veel blikken als Güdrun heeft Julia nooit op zich geweten. Misschien komt dat doordat Güdrun niet alleen aan de buitenkant mooi was, maar in alles. Mensen bloeiden op zodra zij hun aandacht gaf, en als ze daarna haar blik op iemand anders vestigde, bleven ze als kleuters aan moeders rok hengelen naar een woord of een lach van haar. Güdrun liet het zich aanleunen met dezelfde vanzelfsprekendheid als waarmee Frida vroeger het middelpunt was van elke kamer waar ze binnenkwam, maar dan zonder diens superieure blik. Gewoon blij, vrolijk was de glans in Güdruns ogen, of bezorgd wanneer iemand pijn of verdriet had, maar in elk geval oprecht. Ze verstond de kunst daadwerkelijk in iemands huid te kruipen. Julia is daar nooit zo goed in geweest. Ja, ze kan zich wel inleven in iemand, heel goed zelfs, maar vooral in iemands gedachten of gevoelens jegens haar. Alsof ze zich lijfelijk in iemand verplaatst en zodoende zichzelf vanuit diens ogen beziet.)

Pas als ze alle kruimels met haar wijsvinger heeft opgedept en in haar mond heeft gestopt, kijkt Julia op. Ze kan niet zo goed ontcijferen wat er precies anders is aan de foto van de meisjes in hun gebroken witte lijst, maar dat er iets wezenlijks is veranderd, dat staat vast.

Frida's broze lijf schuifelt dwars door Julia's gepeins de keuken in. In haar handen houdt ze een puntgave schoenendoos alsof het een schat is. Ze kijkt er even naar en dan zet ze hem op tafel, pal naast Julia's bord.

'Hopelijk zijn ze lang genoeg voor die benen van jou.'

Verbaasd vist Julia een netpanty uit de doos, fijner dan ze in de DDR maakten, fijner haast dan zij in Amsterdam kan krijgen. 'Hoe kom je hieraan?'

Haar moeder glimlacht verlegen. 'Ach, die Muur is voor mij al langer open.'

Julia kijkt verwonderd naar de glimlach op haar moeders gezicht. Even overweegt ze te vragen of zij misschien weet wat er anders is aan de foto. Maar daar kruipen de harde lijnen alweer als een spin over dat eens zo mooie gelaat. Julia neemt de doos op schoot en haalt er de ene na de andere kous uit. Sommige zitten nog in plastic, andere hebben de prijskaartjes er nog aan. Samen moeten ze een kapitaal waard zijn, zeker voor Oost-Duitse portemonnees. Een kapitaal aan kousen die nooit gedragen zijn. Ze kiest een glanzende panty met achternaad uit en wil de doos weer teruggeven.

'Nee, nee, hou maar.' Haar moeder maakt een vlug afwerend gebaar.

'Allemaal?'

'Ja, allemaal. Och, wat moet ik er ook mee.' Frida haalt haar schouders op, haar glimlach weifelt. Weer herkent Julia een glimp van vroeger, van heel lang geleden, toen die blauwe ogen hun glans nog niet hadden verloren. De kilheid die plots maar onverbiddelijk haar intrede had gedaan in die blik en rond de mond en wangen had altijd in schril contrast gestaan met de schoonheid die Frida ooit had bezeten, haar slanke vingers, haar liefde voor Chopin en Flaubert. Hij had haar misstaan als de lompe schoenen die ze ineens droeg, het groene fabriksschort dat vloekte met haar tengere bouw. Bevreemdende veranderingen die de Muur met zich bracht, en die zo groot waren als ze klein waren. Ze waren gekomen om te blijven. Zelfs toen Frida mettertijd haar schort mocht afdoen, over de Muur mocht en Julia haar in Amsterdam met alle liefde meenam naar de Van Baerlestraat om nieuwe kleren te kopen, bleef ze haar praktische stappers dragen, haar haren kortgeknipt, haar welgevormde benen weggemoffeld in broeken als plunjezakken. Een perfect socialistisch schild. Alleen haar ogen misten de schijn van nuchterheid.

Julia slikt de vraag in die op haar lippen ligt. Ze heeft geen antwoord nodig om haar moeder over de Kurfürstendamm te zien lopen. Het was waarschijnlijk het eerste wat ze deed toen ze als ongevaarlijk oudje naar de andere kant mocht. Op haar DDR-schoenen, op zoek naar de mooiste kousen. Julia wil opstaan en haar beide armen om de broze vrouw tegenover haar slaan, haar net zo hard tegen zich aan drukken tot ze desnoods weer die superieure glinstering in haar ogen krijgt en haar lome parfum tegen Julia's huig stoot.

'Waar heb je ze eigenlijk voor nodig?' vraagt haar moeder.

'Om aan te doen.'

Frida trekt argwanend een wenkbrauw op.

'Ik heb net een ladder in mijn kousen getrokken,' zegt Julia snel.

'Heb je een afspraak?'

'Hoezo?'

Een vleugje hoop trekt aan haar moeders mondhoeken. 'Ik wilde vragen of je mee naar de tuin ging.'

'De tuin? Heb je die nog dan?'

'Waarom zou ik die niet meer hebben? Voor mij is het elke dag zondag.' Frida werpt een blik door het kleine raam boven de gootsteen. 'De winter komt eraan. Ik wil nog wat narcissen in de grond stoppen voor de vorst begint.'

'Maar wie doet nu het onkruid? En het gras?'

'Wolfgang helpt me soms,' antwoordt Frida en ze staat op om de koffiekan te pakken. 'Wil je nog?'

Julia schudt haar hoofd. De koffie ruikt alsof hij al een paar uur op het plaatje staat, wat waarschijnlijk ook zo is. 'Heb je misschien thee? Kruidenthee?'

Frida schenkt zichzelf zonder te antwoorden inktzwarte drab in en zet de kan terug. In één beweging door pakt ze de tinnen ketel en zet die op het vuur. 'Je bent hier niet in West,' zegt ze tegen de ketel. 'Ik heb gewone thee.'

Julia laat de snibbige toon van zich af glijden. 'Wie is Wolfgang?' vraagt ze als haar moeder weer gaat zitten.

'Wolfgang, je weet wel. Die wat jongere man die de tuin naast ons heeft. Nou ja, zo jong is hij nu ook niet meer.'

'Die?' Julia staart verbaasd naar haar moeder. 'Dan weet ik wel wie Wolfgang was, ja. Dat wist iedereen. Dat was een stille.'

'Ach, quatsch.' Frida staat opnieuw op en loopt naar het fornuis, waar de ketel pruttelende geluiden maakt, maar nog lang niet fluit.

'Niks quatsch. Waarom had hij anders een verrekijker? Ik geloof niet dat het volkstuinenpark nu zo'n mooi vergezicht bood over de heggen. Ik wed dat hij er een camera in had verstopt. Het verbaast me dat hij er nog is. Weet je zeker dat hij zich niet bij Honecker onder het bed heeft verstopt?'

'En nu is het genoeg met die grote mond van je.' Frida pakt een pannenlap en haalt de sissende ketel van het vuur. 'We zeggen hier in huis nog steeds niet alles wat op onze lippen ligt, en dat heeft meer met fatsoen te maken dan met zogenaamde oren in de muur.'

Ze pakt een mok en giet er heet water op, de stoom wordt één met haar dunne grijze haren. Met een klap zet ze de ketel terug op het vuur en terwijl ze het vuur uitdraait rukt ze de keukenla open voor het thee-ei. Ademloos kijkt Julia naar haar afgemeten bewegingen. Er gaat zo'n geweld van uit dat ze ook niet voorzichtig durft te zeggen dat er als het goed is inderdaad geen oren in de muur meer zijn.

Als haar moeder zonder haar aan te kijken een mok thee op tafel neerzet en de keuken uit loopt, hoort Julia het ook zonder dat ze het zegt. De enige dochter die haar rest kan het niet eens opbrengen langer dan strikt noodzakelijk bij haar moeder te blijven. Julia weet niet wat erger is: dat ze het niet zegt, of dat ze gelijk heeft.

Met een mand in haar handen komt Frida terug in de keuken. Zwijgend gaat ze aan de keukentafel zitten en pakt twee breipennen met een flinke lap eraan uit de mand, die ze zorgvuldig aan haar voeten zet. Er steekt een draad wol uit die vastzit aan de breinaalden en meebeweegt met de snelle halen. Op en neer en op en neer, driftig als het getik van de naalden. Frida mompelt dat ze de trui voor Wolfgang af wil hebben voor het echt koud wordt. Julia kijkt een tel naar het tafereel en vraagt zich af wanneer haar moeder is gaan breien, en nog wel voor mensen als Wolfgang. Maar ze besluit de vraag niet hardop te stellen. In plaats daarvan staat ze op en begint ze de tafel af te ruimen.

'Ik heb een afspraak met de fotograaf,' zegt ze verzoenend terwijl ze de borden in de gootsteen zet. 'Weet je wel, die jongen die foto's bij mijn artikel moet maken. Hij is nog nooit in Berlijn geweest, dus ik vrees dat ik zijn gids ben.'

'Waarvoor heb je dan kousen nodig?' vraagt haar moeder zonder op te kijken van haar breiwerk.

Julia haalt haar schouders op. Ze draait de kraan open en spuit afwasmiddel in de bak. 'Die had ik gisteren toch ook aan.'

'Gisteren zag je er ook chic uit. Te chic voor een journalist. Je doet het zeker expres?'

'Wat?' Julia draait ferm de kraan dicht en gooit hun vuile messen in het sop. Ze voelt Güdruns ogen in haar rug. Ze knijpen gemoedelijk samen, alsof ze willen zeggen: maak je niet druk zusje, onze moeder is oud en kwetsbaar. Laat haar, toe, wees de wijze van jullie twee en sta erboven. Dat is wat er is veranderd, bedenkt Julia: Güdrun is ouder geworden. Ze is niet meer haar brutale zus met de engelenlach, dat is nog slechts de blauwdruk van de volwassen vrouw die ze is geworden, en die nog perfecter is dan het meisje.

Haar moeder legt haar breipennen neer op haar schoot en

kijkt over haar schouder naar Julia. Een onverklaarbare triomf glijdt over haar gezicht.

'Er niet uitzien als een journalist. Je denkt zeker dat mensen je dan in vertrouwen zullen nemen. Je dingen zullen vertellen die ze je anders niet zullen vertellen. Zodat jij in je westerse krant kunt schrijven wat een achterlijke verraders wij zijn.'

'Verraders?' Julia loopt met de afwasborstel in haar hand naar de tafel en zakt op haar stoel. 'Nee mama, dat wil ik helemaal niet. Hoe kom je erbij? Ik vermom me niet. Zo loop ik er altijd bij. Zo loopt iedereen erbij.' Dat is niet helemaal waar, maar haar moeder hoeft niet te weten dat ze een buitenstaander is op de redactie van de krant, waar iedereen, vrouwen inclusis, zich kleedt alsof ze er geen moer om geven, en dat zij dat misschien ook wel zou willen, of in elk geval meer erbij zou willen horen, maar simpelweg niet in staat is haar hakken en kokerrok te verruilen voor kleding die net zo goed uit een Oost-Duitse winkel zou kunnen komen.

'Die fotograaf van je ook?'

Julia denkt verward na. Een tikkeltje verbaasd was ze wel toen ze Campbell gisterochtend ophaalde bij zijn appartement in de Pijp. Het leek wel een levend lijk dat daar de trap af kwam, met zijn bleke gezicht en zilverwitte kuif. Uiterst verzorgd, dat wel. Een beetje te misschien wel, met zijn glimmend zwarte pak en fonkelend roze gymschoenen eronder. Deze jongen leek in niets op het Che Guevara-type dat ze voor ogen had toen de hoofdredacteur haar verzekerde dat hij de beste fotograaf was voor de job.

'Ja, die ook. Nou ja, die draagt geen kousen, maar wel nette kleren. Waarom niet? Omdat het een fotograaf is?'

Haar moeder snuift even, voor ze haar ogen neerslaat en haar breiwerk weer oppakt.

'Je bent al net als zij geworden,' zegt ze, alsof ze zelf niet zojuist een doos kousen op tafel heeft gezet waarvoor ze een kapitaal heeft neergelegd op westerse toonbanken.

De breipennen wisselen van oksel, om in hun nieuwe positie onmiddellijk in een driftig tempo verder te tikken. De wollen draad doet een werveldans, net als Julia's gedachten.

'Nou ja,' onderbreekt Frida ze, terwijl ze haar breipennen in de mand steekt en de afwasborstel uit Julia's handen grist. 'Je belt maar aan als je er weer bent.'

Oost-Berlijn, oktober 1990, Alte Schönhauserstraße

De poort valt met een doffe dreun achter haar dicht. De Mulackstraße antwoordt met een kille echo. Julia rommelt in haar tas en controleert nogmaals of ze haar notitieboekje en twee pennen bij zich heeft.

'*On the spot* schrijven, Julia,' had de hoofdredacteur haar ingewreven, 'de lezer moet niet alleen zien wat jij ziet, maar ook ruiken wat jij ruikt, proeven wat jij proeft – *by God*, als jij een orgasme beleeft, laat in jezusnaam die lezer snakken naar adem. Jij bent zijn ogen, zijn enige blik op een wereld die hem vreemd is.'

Julia had haar best gedaan haar gezicht in de plooi te houden. Te oordelen naar het uitgestreken gelaat van de hoofdredacteur vond hij het helemaal niet raar zich voor te stellen hoe zij een orgastisch genoegen beleefde bij het zien van de brokstukken van het socialisme.

'Ik zal mijn best doen,' had ze gemompeld.

'Wablief?'

'Ik zei: ik zal mijn best doen.'

'Doe in godsnaam niet je best.' De hoofdredacteur zuchtte omstandig. 'Dit is geen leukig fröbelstukje, hoor je me? Observeer, analyseer, schrijf! *By God*, Günzburg, ik geef je een spread in de opiniebijlage. Een kans. Zorg in godsnaam dat ik er geen spijt van krijg.'

Julia had hem willen zeggen dat ze niet van plan was een stukje te fröbelen. Dat ze van plan was een stuk over de DDR te schrijven zoals je maar weinig tegenkwam in de Nederlandse kranten, zonder vooroordelen, een genuanceerde analyse van hoe het echt was. En nu is.

'Genoeg hierover,' bromde hij. 'Ik zie je over twee weken met tweeënhalfduizend woorden. Maak er wat van.'

Nog meer dan anders had ze spijt dat ze stilviel als een brugklasser zodra ze in het kantoortje van de hoofdredacteur werd ontboden. Te laat. De hoofdredacteur had al een wiebergebaar met zijn hand gemaakt en fronste zijn voorhoofd boven een volgetypt A4'tje waarop groene balpenstrepen de marge vulden. Ze stond op en liep het kantoortje uit, met het gevoel jaren jonger te zijn dan ze in werkelijkheid was.

Dat had ze vaker, dat gevoel dat ze nog maar begin twintig was. De leeftijd waarop haar leven zou beginnen en nog alle vormen kon aannemen die ze het zo vurig had toegedicht. Wanneer ze haar leeftijd ergens moest vermelden of noemen, was ze altijd weer even verbaasd. Vierendertig. Toen haar moeder vierendertig was, was ze een vrouw met een schort voor en rimpels rond haar mond. Meestal vond Julia dat een prettige gedachte, te weten dat zij tenminste nog geen rimpels had en op papier misschien al een vrouw was, maar in de spiegel nog dat meisje van begin twintig. Soms echter werd ze er een beetje wanhopig van. Wanneer ze op een bevreemdend moment haar leven bezag en besefte dat dat helemaal niet meer alle kanten op kon, noch een vorm had aangenomen die ze het ooit had toegedicht. Maar ook op die momenten waarop ze het kantoortje van de hoofdredacteur verliet en wou dat ze zich minder een meisje voelde en meer iemand van vierendertig, iemand met een mening en een stem, iemand die een fronsloze blik van de hoofdredacteur kreeg en een vaste plek in het opiniekatern.

'Ach, ga toch weg bij die krant,' had Ysbrand gezegd, alsof het om een abonnement ging in plaats van om haar baan. 'Ze nemen je niet serieus en je kunt het ze niet kwalijk nemen ook. Met alle respect, die Muur is al een jaar geleden gevallen en jij bent er nog steeds niet geweest. Een beetje journalist had subiet haar koffers gepakt.'

Hij had een punt. Zij ook, door te antwoorden dat de DDR formeel nog bestond en zij dus een zeker risico liep door terug te gaan. Maar dat was niet de reden waarom ze maand na maand voorbij had laten gaan zonder gevolg te geven aan haar verlangen de auto te pakken en naar de straten van haar jeugd te rijden. Het leek zo gemakkelijk, zo bedrieglijk gemakkelijk om door te rijden waar vroeger slagbomen stonden en jongens met petten op die vijanden van hen maakten. Die slagbomen stonden er misschien nog steeds, evenals die jongens met hun groene petten. Ze zou haar journalistenpas laten zien, ze zouden hun neus ophalen voor haar, haar zeker wantrouwen, maar ze zouden haar moeten doorlaten als persvertegenwoordiger van het Westen. En dan zou ze doorrijden, via Unter den Linden naar de Alexanderplatz, door de Münzstraße naar de Alte Schönhauser. En dan links de Mulackstraße in alsof het niets was. Met gemak kon Julia het voor zich zien, hoe ze zou uitstappen in de straat waar de huizen streng waren als hooggesloten bloezen; ze kon zelfs het unheimische geluid horen van haar westerse portier dat dichtsloeg tegen de stilte. Maar ze kon niet voelen wat ze voelde, die vrouw die daar op haar hoge hakken naar haar ouderlijk huis liep waarvan ze de poort voor het laatst had dichtgeslagen toen ze nog begin twintig was.

Of ze wilde het niet voelen, dat kan ook. Hoe dan ook was dat geen excuus meer toen de hoofdredacteur aan haar bureau stond, de dag nadat de beide Duitslanden hun hereniging hadden getekend en knallend gevierd. Julia had naar het scherm gekeken van hun satelliettelevisie en geweten dat hij zou komen.

'Günzburg,' klonk zijn trage, lage stem boven haar computerscherm, 'ik had zo gehoopt dat ik het je niet zou hoeven vragen.'

Ik ook, had ze willen zeggen. Maar het doek was gevallen. De DDR had geen bestaansrecht meer en haar bezwaar om af te reizen naar Oost-Berlijn evenmin. Dus ja, ze zou haar reportage maken. Ze zou naar Oost-Berlijn gaan als verloren dochter, ze zou de gewone man op straat interviewen, speuren naar fabrieken die op instorten stonden of op het punt te worden overgenomen door westerse investeerders, ze zou door de straten van haar jeugd lopen als een journalist die geen reden heeft om bang te zijn, alleen een notitieboekje in de hand en een legitieme reden om te observeren, en vooral te analyseren en te schrijven. Ja, ze zou het als geen ander kunnen schrijven, die reportage over de Ossie die geen Ossie meer is en wat moet hij nu worden: niets of een Wessie, want de hoofdredacteur onderscheidt net als de meeste mensen die zij kent maar twee smaken: het vrije Westen versus het dictatoriale Oosten. Iets daartussen, een grijzig gebied waar ja en nee gevolgd worden door een maar, bestaat voor hen niet.

Dus ze zei ja, natuurlijk, en veinsde meer nog dan anders de zekerheid dat ze wist wat ze wilde schrijven. Vroeg of laat komt ze altijd, die zekerheid, soms pas bij het schrijven zelf, soms zelfs pas wanneer ze het artikel heeft ingeleverd en het met een ongeduldige groene krul op haar bureau terugvindt. Ze is het gewend, al interviewend te researchen, al researchend te schrijven en al schrijvend te begrijpen waar ze heen wil, of moet.

Nooit eerder echter ging ze voor een reportage naar Oost-Berlijn. Nooit eerder Amsterdam uit zelfs, behalve die keer dat ze voor de restaurantrubriek naar Kruiningen moest om een vrouwelijke kok te interviewen die haar tweede ster kreeg.

En nooit eerder had ze het zo nodig, een zekere beslistheid die orde schept in haar gedachten, die sinds haar aankomst in Berlijn gisteren als herfstbladeren door haar hoofd dwarrelen. Ze vormen geen woorden, geen zinnen die haar notitieboekje kunnen vullen. Onbeschreven staren de bladzijden haar aan, als een stil verwijt.

Ze slaat het ding dicht. Een eerste zin, die moet ze hebben. Als ze een begin heeft, dan komt de rest vanzelf, zo gaat dat altijd. Een eerste zin kan haar vertellen welke kant ze op moet. Links of rechts.

Julia loopt langs de bloemenhandelaar en kijkt zijdelings naar binnen door de etalageruit. Achter de toonbank staat een jongen, zijn haar ziet zwart van de gel. Ze heeft hem nooit eerder gezien. Of misschien wel, maar toen zag hij er vermoedelijk nog niet uit als een jonge Elvis Presley. Naast de deur staat het houten bankje. Ze onderdrukt de neiging haar hand even op de zitting te leggen en loopt snel door.

Op de hoek van de Alte Schönhauser blijft ze staan. Gisteren is ze rechts afgeslagen. Ze is via de Münzstraße en de Alexanderplatz naar Unter den Linden gelopen. Dezelfde weg die ze gisteren in tegengestelde richting naar Mitte reden, nam ze te voet. Ze wilde ruiken, kijken, luisteren naar het stille gejuich van de stad. De hele boulevard heeft ze afgelopen, zonder een juich te horen. Tot aan de Brandenburger Tor, en de open grens daarachter. Zonder haar moeder had ze er misschien een halfuurtje over gedaan, met haar moeder aan de arm duurde het anderhalf uur. Zo slecht ter been is Frida niet, maar ze bleef bij elke straathoek, elke lantaarnpaal, elk ampelmannetje staan om zich nog dichter tegen Julia aan te klemmen.

'Zag je dat?' siste ze dan.

Voor Julia kon ontcijferen wat 'dat' moest betekenen, trok haar moeder haar omlaag om het antwoord in haar oor te fluisteren.

'Zag je hoe die jongen dreigend naar mij keek?'

Een hoek verder: 'Ik zweer je dat die vrouw naar mij spuwde.'

Bij het stoplicht: 'Dat kind stak zijn tong uit naar me, zag je dat niet?'

De eerste keren keek Julia nog verwonderd op. Maar algauw had ze door dat er geen jongen, vrouw of kind te bekennen was, althans niet een die de tong uitstak. Niet wetend wat te zeggen had Julia haar moeder steviger tegen zich aan getrokken. Ze sloeg beide armen om de kleine gestalte, voelde de benige schouders onder haar vingers, haar lippen zacht op de schedel onder het dunnende haardek, en werd verrast door de tederheid die de groezelige geur in haar opriep.

Julia kijkt op haar horloge. Elf uur. Campbell had haar een kwartier geleden op zullen halen, al had hij gewaarschuwd dat hij nooit zo van de tijd is. Wat haar betreft komt hij helemaal niet. Kennelijk werkt het zo op zo'n reportage, dat de journalist eveneens dient als ogen voor de fotograaf. Maar eerlijk gezegd hoeft het van haar niet, zo'n wildvreemde jongen in haar kielzog. En dan ook nog zo'n type dat zeker weet hoe de wereld in elkaar steekt, maar nog nooit een voet in Berlijn heeft gezet. Het moest er nog bij komen dat hij ook bij haar moeder wilde verblijven, maar gelukkig had hij haar al voor de grens een papiertje onder de neus geduwd. Hij sliep in het Forum Hotel. Bij de tv-toren, zag ze aan het adres. Campbell had haar schaapachtig aangekeken toen ze die naam noemde. Tot en met het moment waarop ze hem op de Alexanderplatz afzette bij wat vroeger Hotel Stadt heette, had hij geen idee wat de tv-toren was – laat staan waar de toren symbool voor stond.

Ze besluit dat ze hier niet zomaar wat gaat staan wachten en slaat links af, de Alte Schönhauser in. Over dezelfde stoep waar ze vroeger de grijze heren moesten toejuichen, met vlaggetjes en een lach en ogen over je schouder die keken of je wel genoeg lachte. Op de straatstenen die vroeger, een jaar geleden misschien nog wel, strikt als een metronoom het ritme van de legerlaarzen weerkaatsten, rijdt nu een fietstaxi met twee toeristen achterin. Twee dames in wollen mantel. Julia kijkt naar de golfslag van hun roerloze haren in de wind. Zij horen het waarschijnlijk niet, de laarzen; zij zien ze niet, de ogen net buiten hun gezichtsveld, ongrijpbaar maar onmiskenbaar. Julia grijpt het notitieboekje uit haar tas en noteert: *Er rijden fietstaxi's door Oost-Berlijn*. Ze kijkt naar de zin en probeert hem zich voor te stellen op krantenpapier. Een poëtisch begin, vindt ze. Maar waar het heen moet, geen idee. Ze weet niet eens of er voor de opening van de Muur niet ook al fietstaxi's door Oost reden. Ze krast de zin door en stopt het boekje in haar zak. Als ze opkijkt zijn de dames uit het straatbeeld gereden. Achter hen een glijdende rij motoren met zwarte bolides ertussen. Drommen mensen achter hekken aan de kant, zwaaiend met vlaggetjes die wapperen in Julia's oor. Ze knippert met haar ogen. De straat staart leeg terug. En dan is het daar weer.

Die bitterzoete treurnis, die als een oude jas om haar lijf glijdt.

Gisteren had ze het ook, toen ze oog in oog stond met Unter den Linden, de lindebomen die zich beschermend over haar hoofd bogen, de Brandenburger Tor als statig slotstuk. Al was er geen gejuich, al kroop de angst als vanouds over haar schouders, de boulevard oogde veranderd – wie zal zeggen of dat komt door de Wende of doordat ze er elf jaar niet is geweest? De Pariser Platz in de verte was een bouwput. Er was meer verkeer. Ook hier ploegden fietstaxi's zich een weg over het asfalt.

En er liepen mensen over straat die beter gekleed waren dan toen. Oost-Duitsers misschien die eindelijk echte jeans hadden kunnen kopen op de Ku'Damm, of West-Berlijners die geen haast meer hadden, omdat ze nu niet meer voor de schemering terug naar de andere kant hoefden. Er liepen vaders met peuters aan de hand die geen weet hadden en nooit zouden hebben van een wet die hun zou verbieden 's ochtends bij papa op bed te springen. Julia zou blij moeten zijn, voor hen, voor zichzelf, voor Berlijn, maar ze werd weerhouden door dat gevoel. Het kroop als stroop door haar aderen en hield haar gevangen in twijfel tussen lachen en huilen, tussen herkenning en bevreemding.

Gisteren herkende ze het niet meteen, nu des te beter. Ze hadden er nooit een naam voor kunnen vinden, en nooit een kleur.

Julia merkt pas dat ze een oude man bijna omverloopt als deze opzijspringt alsof ze een mes tussen zijn ribben heeft gestoken. Het karretje in zijn hand valt om en een net vergeelde sinaasappelen rolt eruit. Ze haast zich het fruit op te rapen en in haar nog steeds onwennige Duits stamelt ze excuses. Als de man zich mompelend uit de voeten maakt, staart Julia hem verbaasd na. Haar moeder had gisteren precies dezelfde schichtige blik in haar ogen.

Ze loopt door, langs vieze winkelruiten waarachter de gapend lege etalages doen denken aan de tijd dat ze in rijen voor de deur stonden. Voor slagerij Diettrich blijft ze staan. Het gehavende pand is leeg, het raam is met twee dwarsbalken dichtgetimmerd. Haar gestalte weerspiegelt in de stoffige ruit, haar dikke opgestoken haar lijkt net een bontmuts zoals de Russen droegen. Zo door het oog van haar herinneringen ziet ze er inderdaad wel wat chic uit. Wat zou de dikke Diettrich zeggen als hij haar nu zou zien staan. *Is dat die kleine van Günzburg? Hier kind, je moet nog steeds eten voor twee, zie ik.* Ze glimlacht ondanks zichzelf. Het is maar goed voor de oude slager dat hij er niet meer is. Hij zou zich met hand en tand verzetten tegen die Wessies met hun supermarktvlees. Het zou niet mogen baten. Berlijn zal weer Berlijn worden. Wat dat dan ook is.

'Hoe is het in Berlijn, mama?' Olivier vraagt er steeds vaker naar, met die wijze blik in zijn ogen waartegen het zo moeilijk liegen is.

Ze weet niet hoe het in Berlijn is, alleen hoe het er was.

'Niet zo flauw mama, toe, vertel. Papa zegt dat alles er grijs is.'

Grijs ja, net zo grijs als de vlek in haar geheugen, die alleen maar grijzer wordt nu ze er weer loopt. Los van enkele haarscherpe flarden weet ze het niet zo goed meer, hoe het was in Berlijn, laat staan hoe het er moet worden.

'Berlijn wordt weer één,' zei de stem van de reporter opgewonden in de verwarrende nieuwsuitzending nu bijna een jaar geleden. En nog meer woorden die ze niet verstond. 'Oost wordt west.' Wat betekent dat? Twee dagen later zag Julia in een Franse nieuwsuitzending op haar werk hoe de Oost-Berlijners nog steeds door de straten van West-Berlijn struinden, als dwaze verliefden op hun eerste afspraakje die het moment van terugkeer zo lang mogelijk willen uitstellen, en hun menslievende euforie had plaatsgemaakt voor... Nou ja, voor koopdrift, meer kon ze er niet van maken. Rijen dik stonden ze voor de banken om hun maandsalaris aan Oostmarken in te wisselen tegen een paar Westmarken waarmee ze een walkman konden kopen, een wekkerradio, een polaroidcamera.

Ze keek ernaar en bleef kijken, terwijl haar collega's alweer naar hun bureau's waren vertrokken om een stuk te tikken over de Oost-Europese fabrieken die op instorten stonden als ze niet dringend nieuw leven werd ingeblazen door het Westen, of over het haarmatje en de gebleekte jeans die serieus nog steeds voor hip doorgingen bij de arme Ossies. Ze zag twee dames in polyester jasjes en met ongeverfde permanentjes die ieder met een winkelmandje aan de arm langs de schappen van een supermarkt liepen, oh en ah uitroepend bij alle make-up die ze er tegenkwamen. Het was te serieus om te lachen, te banaal om te huilen. Dus zat ze daar maar, als een marionet zonder speler voor het televisiekastje in de hoek van de redactie. Niet in staat haar bloed te voelen stromen, zoals ze twee dagen ervoor ook thuis voor de televisie had gezeten zonder zichzelf te herkennen.

Er waren momenten geweest, zeker de maanden ervoor, dat ze zich had voorgesteld hoe het zou zijn als de Muur open zou gaan. Hoe ze zou moeten juichen, lachen, delen in de euforie.

De realiteit was er te onbedoeld voor, te aarzelend. Het telefoontje van haar collega. Misschien moet je even de televisie aanzetten. De Duitse televisie. De wachtende mensen, de eindeloos wachtende mensen, steeds ongeduldiger wordende mensen. Die mannen met hun grote mond, blij gemaakt met een dode mus waren ze, natuurlijk gingen de grenzen niet open, komaan, iedereen naar huis, morgen zou iedereen te moe zijn om te werken en zaten ze in de penarie. Waren ze gestuurd? Wolven in schaapskleren? Hoe dan ook kregen ze ongelijk. Slagbomen gingen open, handen eronder, nog meer handen, van mensen, mensen die dan eindelijk het heft in handen namen, daar braken ze in drommen door de Muur, alsof het niets was. Geen schoten, geen knallen, geen vuurwerk; de Muur viel net zo terloops als hij was verrezen. Terloops, maar ontegenzeggelijk, en dat was misschien wel wat Julia het meest verraste. Haar vingers hadden zich verstrengeld en knepen elkaar fijn tot ze geen gevoel meer had in haar vingertoppen, verder verroerde haar lijf zich niet. Ze kon het niet geloven. Ze herkende ze niet, de mensen die door de grensposten stroomden alsof de republiek ze uitbraakte. Haar ogen speurden naar bekenden, wilden de camera tegenhouden, het oog van de televisie ging te snel, ze had nog niet alle hoofden geteld, nog niet alle mannengezichten gezien, niet alle ogen. Haar hart bonkte door, tegen haar borstkas tot ze bijna geen adem meer had, maar ze bleef als vastgeplakt op de bank zitten. Al haar energie, de plotse zekerheid dat ze de verkeerde persoon op de verkeerde plek in de geschiedenis was, balde zich samen in haar verstrengelde vingers, ze perste haar duimen tegen elkaar, plette de kootjes van haar vingers tot het zo'n pijn deed dat Ysbrand haar tranen wegveegde met een hand die geen idee had wat hij wegveegde, dat wist ze zeker.

Dat wel.

Aan het eind van de straat doemt een zwart-met-fluoroze vlek op. Het is Campbell, die op zijn dooie gemak naderbij komt, fototas om de schouder, zijn kuif als een blikkerende spiegel in de zon. Als hij de snelste weg had genomen was hij vanaf de Münzstraße gekomen, denkt Julia plots vermoeid, maar zelfs dat schijnt te moeilijk voor hem te zijn. Hij zwaait. Ze wijst op een bankje halverwege tussen hen in. Ze loopt er vast naartoe en zoekt naar haar sigaretten.

'Hoi.' Campbell gaat naast haar zitten. Zijn deodorant bijt in haar neus.

'Hoi.' Julia heeft haar sigaretten gevonden en houdt hem het pakje voor. Als hij even zijn blik naar haar opslaat, ziet ze dat hij een zwart lijntje om zijn ogen heeft getekend. Zijn bleke huid steekt er haast doorschijnend tegen af. Ze steken ieder hun eigen sigaret aan en blazen gelijktijdig de rook voor zich uit.

'Wat is dat met die caravans?' vraagt Campbell na een korte stilte. Zijn naam is niet echt Campbell, had hij gisteren ergens rond Hannover verteld. Hij heet eigenlijk Anton, Anton van

Vleuten, een naam die beter past bij de afkomst die zijn weke kin en tongval al deden vermoeden. Hij heeft dezelfde r als Ysbrand, niet met rollende tong maar achter in de keel. Vier jaar geleden heeft hij zich *tout court* omgedoopt tot Campbell. 'Naar de soep, snap je.' Julia had aarzelend geknikt. De zilverwitte lokken van de jongen en zijn autistische houding kregen ineens een heel andere dimensie. Ze had een grinnik maar net kunnen onderdrukken.

'Hoe bedoel je?'

Campbell wijst vaag in de richting waar hij vandaan kwam. 'Ze staan zowat op elke straathoek, van die schamele Kipcaravans. Met een luik. Het lijkt wel of ze er iets verkopen.'

'Dat doen ze ook. Verzekeringen.'

'Voor wat?'

'Voor inboedel, voor diefstal, voor het leven. Voor wat niet. Ossies hoefden zich nergens voor te verzekeren, dus er valt genoeg te slijten.'

'Ossies?'

Julia werpt een blik opzij. Ze kan amper geloven dat deze jongen wordt geroemd als aanstormende topfotograaf van Nederland, zoals de hoofdredacteur haar verzekerde. Het lijkt er niet op dat hij weleens een krant inkijkt.

'Ossies zijn Oost-Duitsers. Wat maak jij eigenlijk voor foto's?'

'Ik? Van alles. Mode vooral. Portretfotografie heb ik ook wel gedaan. Maar dat vind ik niet zo interessant. Ik werk liever met professionele modellen.'

'Wat doe je hier dan?'

'Weet ik veel.' Campbell haalt zijn schouders op. Heel even vangt ze een glimp op van de jongen die hij moet zijn geweest toen hij Oliviers leeftijd had. Dan schuift de bravoure weer over zijn gezicht. 'Ze wilden kunstfoto's. Ik heb wat vrij werk gemaakt van Amsterdam. Daar waren ze wild van, geloof ik. Dat heeft in de krant gestaan. Zoiets willen ze nu ook van Berlijn.'

'Wat dan?'

'Strak, gestileerd, met scherpe contrasten. Oud versus nieuw.'

'Oud versus nieuw – typisch.' Julia lacht luid, maar er valt eigenlijk niks te lachen. Natuurlijk wil de lezer in Nederland zien wat er nieuw is in Berlijn, hoe de Wende de soberheid uit haar thuisland spoelde, het al heeft gezuiverd van armoe en achterdocht, van de geur van bruinkool en van angst. Ze willen natuurlijk ook zien wat er oud is, waar het Westen het verleden nog moet corrigeren, en waar nog kansen liggen, laten we de kansen vooral niet vergeten. Maar hoe moet Julia zien wat oud is en wat nieuw? Ze kijkt en ziet kapsels die er misschien al waren, kleren die misschien ook al in de DDR werden gemaakt, mensen aan wie ze niet kan zien of ze die zelfbewuste blik al hadden toen de Muur nog als een pleister op hun mond zat. Ze kijkt en ziet haar jeugd. Haar jeugd die tussen de muren van de huizen hangt en naar adem hapt.

Die haar aanstaart alsof ze er niet mag zijn.

Met trillende handen steekt Julia een nieuwe sigaret tussen haar lippen. Campbell vist een aansteker uit zijn zak en geeft haar een vuurtje. Zelf steekt hij een Gauloise op. Ze zitten met de rug naar de straat. Voor hen strekt een braakliggend terrein zich uit tussen twee huizenrijen. De blootgelegde achtertuintjes ogen rommelig.

'Kijk,' wijst Julia naar de vervallen achtergevels van de huizen. 'Oud. En typisch Oost. Aan de voorkant een mooie leugen, aan de achterkant een lelijke waarheid.' Het was Frida's gevleugelde verwijt aan het adres van het socialisme als ze mopperde over de staat van hun appartement in het achterhuis, meestal als de voorgevel weer eens in de steigers werd gezet voor een opknapbeurt, terwijl bij hen aan de achterkant de kogelgaten van de oorlog nog in de muren zaten.

Campbell staat op en zet een paar stappen om de gevels aan een nadere inspectie te onderwerpen, zijn camera los in de hand.

Het is vreemd eigenlijk, bedenkt Julia terwijl ze hem nakijkt, hoe weinig verwijten Frida het socialisme nog maakt. En dan dat breiwerk voor Wolfgang en voor zowat de hele flat. Haar argwaan voor alles wat uit het Westen komt. Je zou zeggen dat ze de schijn niet meer hoeft op te houden nu de Muur is gevallen.

Julia kijkt door de rook van haar sigaret toe hoe Campbell op zijn buik in het stoffige bouwzand gaat liggen. Ze blaast, maar het waas blijft hangen, een dikke mist tussen haar en het gevoel dat ze zou moeten hebben, de blijdschap om Berlijn. Bijna tastbaar is de lach, de hoop, de opluchting dat Berlijn zal opbloeien, een ongebreideld groeiende stad, vrij als de bohemien die ze ooit was, zonder hamer en zonder sikkel.

En zonder haar.

Julia kijkt met een ruk op en staart naar Campbell, die langzaam terugloopt, een slapstickacteur in het decor van een tragedie.

'Dus dit is die stad waar jij niet naar terug durfde,' zegt hij quasispottend als hij naast haar op het bankje ploft.

'Nou ja, niet durfde...' herhaalt Julia wrevelig. 'Ik vond het nog niet veilig genoeg, nee. Dat was het ook niet. De Muur was open, maar nog niet weg. Er gingen geruchten dat hij weer dichtging. Bovendien, het land dat ik was ontvlucht bestond nog, voor hun wet was ik nog steeds een vluchteling. Heb je eigenlijk wel een idee van de straffen die daarop stonden?'

De jongen naast haar verstrakt en vestigt zijn blik op zijn schoenen, helemaal aan het andere eind van die lange benen die hij voor zich heeft uitgestrekt. 'Wat denk jij. Ik heb ook televisie.'

'Nou dan.'

Haar toon is feller dan ze bedoelde. Ze zou hem nu best een por in de zij willen geven en met een sorry zijn lach terughalen – alles beter dan die hangende mondhoeken in dat toch al zo lijzige gezicht. Maar haar handen blijven op haar schoot, haar lippen op elkaar. Hoe moet ze uitleggen dat ze nu pas weet waarom ze zo lang wegbleef. Dat de straatstenen fluisteren als ze eroverheen loopt, de lantaarnpalen haar nawijzen, dat de gordijnen achter de ramen hun ogen voor haar nog niet hebben verloren. Hoe moet ze uitleggen aan een jongen als Campbell dat ze bang is als altijd, maar dat toch alles anders is en onbereikbaar, dat haar moeder er allerlei gewoontes op nahoudt die Julia nooit bij haar bedacht zou hebben, dat de piano weg is uit hun huiskamer en ervoor in de plaats een poster van de partij hangt. Dat er zonder nu geen toen is en al helemaal geen straks, of ooit. Dat ze gisteren Alexander belde en voelde hoe zijn stem, zijn ooit zo vertrouwde stem, tegen haar oor botste als twee monden die op dezelfde wang willen zoenen.

Zonder acht te slaan op Campbell, die op een paar passen voor haar blijft staan en zijn camera op haar richt, wurmt ze nog een sigaret uit haar tinnen blikje en steekt hem onwillig aan. De nicotine prikkelt haar gehemelte, de smaak van menthol plakt op haar lippen. Ze zuigt de rook haar longen in, verstikkend als de wetenschap dat als ze elf jaar had gewacht, een heel nieuw mensenleven –

'Waar gaan we heen?' vraagt Campbell zonder de camera te laten zakken.

Ze trapt haar sigaret uit met haar hak en steekt een nieuwe aan, een handeling die even onzinnig als smerig als noodzakelijk is geworden.

'*Wij* gaan nergens heen.'

Oost-Berlijn, oktober 1990, Knaackstraße

De eerste die Julia belde, op die donderdagavond die nu een blanco bladzijde uit de werkelijkheid lijkt, was haar vader. Op televisie stroomde Berlijn over straat, de Ossies als aangeschoten wild, de Wessies als moeders die hun verloren zonen in de armen sloten. Laurent Günzburg moest de enige Berlijner zijn die die nacht niet de straat op ging. Julia wist het, en liet de telefoon wel twintig keer overgaan.

'Ga je niet kijken, papa?' vroeg ze toen hij eindelijk opnam.

'Och nee, kind.'

'De Muur is open.'

Haar vader bleef even stil. 'Ik weet het, ik weet het. Margot is kijken.'

'Wilde je niet mee?'

'Och nee kind.'

'Wat lees je?'

'O. *Chez Swann*.'

Hij klonk afwezig, als een oude man die zich al langzaam aan het losweken was van het bestaan. Julia zag hem voor zich, in zijn leunstoel onder het schijnsel van de lamp die zich over hem heen boog, als een medeplichtige in het complot de wereld buiten te sluiten. Het verbaasde haar niets dat hij deze historische novembernacht besteedde aan het nogmaals ontleden van Proust, terwijl zijn tweede vrouw en eerste vrouw elkaar zomaar zouden kunnen tegenkomen in de samensmeltende stad. De verloren tijd die herwonnen kan worden met een madeleine was voor Laurent Günzburg vele malen boeiender dan de tijd die hij had verloren om nooit meer terug te krijgen, nog met geen tien koekjes in bloesemthee gedoopt.

'Nu, dan zal ik je maar laten lezen.'

'Dat is goed, kind.'

Julia had al bijna opgehangen, toen ze hem nog iets hoorde zeggen.

'Geen spijt hebben, mijn kind. Nooit spijt hebben. Wie berouw heeft over een daad, is dubbel ellendig.'

Julia lachte. 'En van wie mag deze wijsheid zijn?' Hoe ouder haar vader werd, hoe meer hij sprak in citaten van Franse grootheden. Vooral van Marcel Proust, van wie de wijsheid kwam die Laurent als lijfspreuk leek te hebben geadopteerd: men kan niet betreuren wat men zich niet herinnert. 'Van monsieur Günzburg?'

Hij moest er zelf ook om lachen. 'Nee, van Spinoza. Een landgenoot van je.'

Nog lang nadat Julia had opgehangen bleven die laatste zinnen door haar hoofd spoken. Wilde hij zeggen dat ze Nederlandse was geworden? Een Nederlandse met spijt?

De tweede die Julia wilde bellen, was haar moeder. Maar ze deed het niet.

De derde was Alexander. Of misschien was hij wel de eerste, de reden waarom ze was opgesprongen en naar de telefoon was gerend. Ze kende zijn nummer uit haar hoofd. Als hij nog woonde waar ze woonden, tenminste. Julia aarzelde. Zo dichtbij, zo bereikbaar. Haar hand trilde boven de telefoonschijf. In gedachten draaiden haar vingers het nummer.

Ze stelde zich voor hoe de telefoon zou overgaan in de kamer, hoe het tafeltje dat zij rood had geschilderd tot leven zou komen onder het toestel, hoe het gerinkel de stilte in de woonkamer deed trillen. Julia liet haar ogen over de mensen op het scherm gaan; ze bleven komen, hele drommen mensen waren uit hun schulp gekropen met ogen waar het ongeloof nog aan kleefde als de slaap na een nachtmerrie. Alexander moest daartussen lopen, ze kon zich niet voorstellen dat hij thuis zou blijven zitten op de ribfluwelen bank terwijl de opwinding van de stad voelbaar was tot onder haar huid.

En dus bleef Julia staan, niet in staat de hoorn van haar oor te halen. Pas toen Ysbrand zich vragend omdraaide vanaf de bank, besefte ze hoe stupide de gedachte was om Alexander te bellen.

Haar voeten zogen zich vast aan het beton van de telefooncel toen hij gisteren wel opnam. De gedachte had haar sinds die donderdagavond in november vorig jaar niet meer verlaten, besefte ze toen ze Berlijn in reden en na een grimmige knik van een groene pet door het checkpoint mochten en zomaar de straten van Oost in reden, de versleten straten waar de ochtend al werd aangevreten door de schemering ondanks het vroege uur. Ze hadden de hele nacht doorgereden, maar Julia was op slag klaarwakker. Met wijd open ogen liet ze de huizen en blikken langs zich heen glijden en ze voelde haarfijn hoe een instinctieve spanning haar schouderbladen op scherp zette. Terwijl Campbell, uitgerateld en uitgeteld in slaap gevallen met zijn hoofd opzij tegen het raam, niet eens doorhad dat ze in Berlijn waren aangekomen, hamerde er maar één vraag door Julia's hoofd, alsof het de enige vraag was waarvoor ze de hele trip had ondernomen: hoe kwam ze aan munten?

Ze kon haar briefgeld stukslaan bij een bakker, bedacht ze toen ze over Unter den Linden naar de Alexanderplatz reed en de tv-toren zag oprijzen. Zou bakkerij Kleemann nog op de hoek van de Münzstraße zitten? Die vraag zette een kraan aan andere vragen open, waarop ze koortsachtig een antwoord zocht terwijl ze de auto voor Campbells hotel parkeerde en voor hem langs naar het portier reikte. Of de telefooncel eigenlijk wel werkte op de nieuwe mark. Of Alexanders nummer inderdaad nog hetzelfde was. Wat ze moest zeggen. Ze had op de laatste twee vragen nog geen antwoord toen ze Campbell had gewekt en uit de auto had gezet, en ze op onvaste benen een muntje uit de kassa van de oude Frau Kleemann in het vertrouwde hangtoestel gooide. Ze wist alleen dat ze een onbedwingbare neiging had de *schmützige* hoorn te pakken waarmee ontelbare heimelijke gesprekken moesten zijn gevoerd, en het nummer te draaien dat ooit het hare was geweest.

'Hallo?'

De stem in haar oor voelde intiem als een kus in haar nek. Een golf in haar maagstreek gooide haar terug in de tijd, naar een vorig leven waarin ze een meisje was, een meisje dat maar één ding liever wilde dan trouwen, en dat was weg, eroverheen, naar de andere kant.

Dat meisje is terug, en loopt op deze oktobermiddag door Prenzlauer Berg.

Ze is op weg naar Café Biermann, een etablissement vlak bij de Watertoren dat vroeger Die Schwester heette en waar ze ruim elf jaar geleden nog een graag geziene gast was, de vriendin van Alexander de Grote. Ze hadden dat café destijds uitgekozen als decor om het voor de buitenwereld uit te maken. Het was een idee van Alexander, die maar niet wenste te geloven dat er in de muren van hun flat ook ogen en oren zaten. In Die Schwester zitten ze sowieso, had hij gezegd, en Julia was akkoord gegaan met het hele plan, dat eigenlijk te bespottelijk was om serieus uit te voeren. Ze weet nog hoe vreemd makkelijk het haar echter afging om een show op te voeren; op een gegeven moment had ze zelfs echte tranen in haar ogen.

Alsof het een doodnormaal café in Berlijn betrof, noemde de stem in haar oor gisteren de naam. Voor Julia had kunnen antwoorden, voegde hij eraan toe dat het was overgenomen en herdoopt door een Wessie, en in bijna niets meer leek op wat het was.

Het meisje heeft haast, maar de vrouw die ze is geworden draalt. Als de Watertoren opdoemt boven de typische stapelhuizen van Prenzlauer, stopt ze. Ze kijkt op haar horloge, het is kwart over twaalf. Vijftien minuten later dan ze hebben afgesproken. Ze leunt tegen het hek van een park en steekt een sigaret op. Tegenover de ingang van het park zet een kroegeigenaar houten banken buiten alsof het hoogzomer is. Het zijn banken die Julia doen denken aan de scoutingkampen van Olivier: lang en smal, zonder rugleuning, waarop de verkennertjes arm tegen arm hun frites eten zonder te morsen op hun beigekleurige hemden met donkergroene bies. Julia was fel tegenstander van de scouting, wilde niet dat haar zoon lid werd van een club waarbij een uniform moest worden gedragen, maar Ysbrand was onvermurwbaar. Een Van Dyck gaat als kind naar de scouting, als puber naar de klote en als student naar het corps, had hij gezegd op een toon die ze in alle andere gevallen van repliek had gediend, maar niet in dit geval, niet waar het om Olivier ging.

De man tilt twee van die banken in zijn eentje op alsof ze niets wegen. Zijn blote armen zijn breed en gespierd en beide tot op de pols volgekliederd met zwarte draken die rode tongen uitsteken. Julia gruwt inwendig, net als van de afgezakte legerbroek en de stalen kisten die de man het aanzien van een junk geven. Ze krijgt een kleur als hij haar in de gaten krijgt en grijnzend een denkbeeldige pet van zijn hoofd licht. Ze wendt haastig haar blik af en laat hem vallen op het spandoek dat over het balkon van het huis ernaast hangt. KAPITALISMUS RAUS!, staat er met koeienletters op. De strijdvaardigheid die de woorden moeten uitdragen, wordt jammerlijk tenietgedaan door de muurscheuren die het vervallen pand ontsieren en de barsten die duidelijk al jaren in de ramen zitten. Julia trapt haar sigaret uit op de stoep.

Als ze de hoek om slaat, ziet ze Die Schwester al. De sierlijke letters staan nog op de grote ruit, praktisch onleesbaar geworden door de aantasting van tijd en Berlijnse winters. Ze steken bleekjes af tegen de stevige letters die CAFÉ BIERMANN op de luifel spellen.

Julia kan niet zien of Alexander binnen zit. Ze is zich plots hinderlijk bewust van haar stappen, van de hazenpasjes die haar kokerrok toelaat, de hakken van haar pumps die er potsierlijk uit moeten zien op het gebroken asfalt. Nu wenst ze toch dat ze zich iets minder vrouwelijk had gekleed, iets minder westers. Al zou ze niet weten in wat dan. De vormeloze ensembles van Oost-Duitse snit, waarvan de synthetische stof knettert als de fonteinen die Ysbrand bij oudjaar de lucht in schiet, stonden haar decennia geleden al niet.

Nog een paar passen, dan is ze bij de deur. Haar oog vangt een schreeuwerig geel-met-blauw reclamebord waarachter ze zich zou kunnen verstoppen. Als ze niet het gevoel had dat Alexander haar al kon zien, zou ze het doen. Even maar. Ze zou de poederdoos uit haar tas pakken en zichzelf een snelle blik toewerpen. Ze zou nog een halve sigaret roken. Haar adem rustig krijgen. Ze zou bedenken wat ze Alexander moet zeggen, de woorden waar ze vannacht niet op kon komen omdat haar gedachten alleen maar rondjes draaiden om de vraag of ze hem überhaupt wel had moeten bellen. En waarom. En wat.

Het eerste wat Julia ziet als ze de zware tochtgordijnen opzijschuift, is een man aan het raam in een ecru linnen pak. Ergens in haar bewustzijn dringt zich het beeld op van de vensterbank voor het raam van de flat in Marzahn, zij met haar rug tegen het raam, hij met vlekjes in zijn ogen. Zijn handen omvatten haar billen, haar dijen rustten op het stugge linnen van de broek die ze van zijn kont griste, lachend om de stijfheid van het kostuum, die raar afstak tegen de soepele lenigheid van zijn gespierde lijf. Verwonderd zoekt ze zijn blik voor een glimp van dezelfde herinnering, maar in de ogen die terugstaren is er geen twinkeling die doet vermoeden dat deze man het pak, het enige erfstuk van zijn vader en tevens het enige pak in zijn kast, althans destijds, heeft aangetrokken met een andere reden dan dat dit een zakelijke afspraak is.

De herinnering glijdt van haar huid. De ogen knijpen samen in een lach, een lach die ze niet kent, maar de kleur is onmiskenbaar. Julia voelt een onverwachte kalmte over zich heen komen. Het meisje is weg.

'Hallo Alexander,' hoort ze zichzelf zeggen als ze tegenover hem staat. Haar stem klinkt eigenaardig, vreemd, in dit decor vol echo's van muziek, rook, dansen, zoenen. Ze weet niet of ze moet zoenen.

'Dag Julia.' Zijn stem klinkt ouder, dat was haar gisteren aan de telefoon ook al opgevallen, maar is nog net zo vol, rond en mannelijk als Julia hem zich herinnert. Zacht en hard tegelijk, net als zijn lichaam, zijn gezicht met de rechte kaaklijn en brede jukbeenderen maar ronde neusvleugels, en een mildbruine huidkleur die hem nog steeds iets vriendelijks verleent.

'Je ziet er goed uit,' mompelt Julia.

Alexander lacht alsof ze een vreemde is en hij schudt zijn hoofd, net zo lang tot zijn belachelijk beleefde glimlach verstart, en die van Julia ook. Ze heeft allang spijt, maar wat kan ze nu nog zeggen? In al die elf jaar heeft ze kennelijk geen andere begroeting kunnen verzinnen dan deze banale woorden, die bovendien maar ten dele terecht zijn als ze nog eens goed kijkt. Lijntjes rond die smeltende ogen. Schemerende hoofdhuid waar eens een stugge bos bruine krullen zat. Hij ziet haar blik en haalt zijn hand door het haar dat er niet meer zit. Julia slaat haar ogen neer, zich onmiddellijk bewust van haar lijntjes, haar sigarettenvingers, de grauwheid die haar glans heeft aangevreten.

Even blijft het stil, dan maakt hij een schuchtere armbeweging naar de tafel. 'Ik dacht, ik neem dit tafeltje.'

'In elk geval een uitzicht dat nog hetzelfde is,' merkt Julia droogjes op.

Alexander grijnst. Hij weet het nog, dat ze vroeger achter deze zelfde grote ruit zaten en onophoudelijk de mensen op straat becommentarieerden, meedogenloos beslissend wie een stille was en wie een verzetsstrijder, wie hun vijand was en wie een van hen, alles met een hoofdknik en eerder omdat Julia dat zo graag wilde dan omdat Alexander zich nu zo geroepen voelde de mensen in twee kampen te verdelen.

Dan valt haar blik op het tafeltje. Het formica is nieuw, de poten van glimmend staal, de loper is van plastic en bedrukt met felgekleurde ruiten. Alexander had gelijk: alles wat hier anders kan zijn, is anders. Ze gaat zitten op wat een goedkope uitvoering van een bekende designerstoel lijkt, haar loden benen vouwen zich onder de kunststof zitting.

Alexander neemt weer plaats op de stoel tegenover haar. Zijn ogen dwalen zoekend over haar schouder. Ze hebben inderdaad de kleur van cognac, de drank in de kristallen karaf boven de deur waaruit Ysbrand zichzelf elke avond twee glazen schenkt, een voor het eten en een voor het slapengaan, een gewoonte die ze nog steeds om onnavolgbare redenen onuitstaanbaar vindt. Een verse schram loopt over Alexanders gladgeschoren wang. Ze ziet voor zich hoe hij die ochtend het bloed heeft gestelpt met aluinsteen, in de krappe badkamer waar de spiegel besloeg en het water tot onder de wastafel kroop en daar bleef liggen tot lang na het douchen.

'Het personeel is hier ook niet meer wat het was,' verzucht hij quasi geërgerd.

Julia kijkt over haar schouder naar het meisje dat tegen de bar geleund staat en glazig naar buiten kijkt. Haar mond gaat op en neer op het ritme van de Stones die door de boxen brullen.

'Wat je zegt.' Ze grinnikt. 'De muziek wel.'

Alexander moet lachen.

Julia laat haar blik weer over hun tafel glijden, naar het gesprek dat daar ligt te wachten.

'Wacht.' Alexander staat op en beent naar de bar, de lucht die hij in beweging brengt strijkt langs haar schouder.

Het café is groter dan in Julia's herinnering. De tafels staan strak in het gelid met allemaal hetzelfde formica tafelblad en plastic kleedje erop. De lambrisering die zachtjes kreunde als je ertegenaan viel tijdens het dansen, is het enige wat over is van het bonte interieur van Die Schwester, nog steeds vaaloranje met hier en daar een ruwomrand gat. Die Schwester was het enige café in de DDR, of tenminste in Oost-Berlijn, dat niet de sfeer had van een klaslokaal of gemeenteloket, vonden Julia en Alexander. En dus gingen ze er elke vrijdagavond heen. Na het eten gingen alle tafels aan de kant en werd er gedanst. Een enkele keer streek de eigenaar over zijn hart en draaide hij besmuikt de Stones, of Elvis, of de Beatles, afhankelijk van welke illegale opname hij in zijn handen kreeg gedrukt. Maar meestal gingen ze los op de *Beatmusik* die wel mocht, en trokken ze rare gezichten naar elkaar als het te kinderachtig of militaristisch werd. Gek genoeg leverde dat ook een vorm van plezier op, die leek op de lol die ze met Güdrun aan de oever had als haar zus het in de bol kreeg en gek ging dansen, of zingen, of Julia wilde inwijden in de liefde. De kroeg deed zijn naam eer aan, bedenkt ze ineens.

'Wat lach je?' Alexander zet zich in een soepele beweging op de stoel tegenover haar, haar neusvleugels vangen een zweem van zijn grote brede lijf.

'Niks. Ik moet denken aan de tijd dat hier nog tafels stonden die aan de kant werden geschoven.'

Hij volgt haar blik over de kale ruimte die geen moeite doet sfeer te scheppen. 'Wat is het anders nu, hè?'

Ze knikt. 'Net als Berlijn.'

'Net als Berlijn.'

Julia kijkt naar haar handen. In haar rug voelt ze de serveerster naderen, die een tel later met een brede glimlach aan hun tafel verschijnt met de vraag of mevrouw iets wil drinken. Het meisje heeft dansende pijpenkrullen die Julia onnatuurlijk aandoen, niet in de laatste plaats omdat ze glanzen als de haren van de barbiepop die hun vader hun ooit stuurde en die door Frida werd geconfisqueerd. Ze bestellen beiden koffie. Als het meisje zich heupwiegend uit de voeten maakt, beginnen ze tegelijkertijd.

'Hoe is het met je?'

'Was je nog niet terug in Berlijn geweest?'

'Goed.'

'Nee.'

'Woon je nog in Marzahn?'

'Woon je niet meer in Berlijn?'

'Ja.'

'Nee.'

Ze lachen. Alexander maakt een gebaar, hoffelijk als altijd, dat ze voor mag gaan.

‘Ik woon in Amsterdam,’ vertelt Julia. Ze pakt het tinnen doosje uit haar tas en steekt een sigaret aan. Alexander volgt haar bewegingen, maar zegt niets. ‘In Nederland,’ verduidelijkt ze.

‘Ik weet waar Amsterdam ligt.’

Het puntje van de sigaret licht op; de rook trekt een waas tussen hen op die scherper stinkt dan anders. Julia wappert met haar hand. ‘Het is een mooie stad. Veel kleiner dan Berlijn, dan Oost alleen al. Er zijn veel grachten, met bruggen. Ik woon aan zo’n gracht. Op stand, zeg maar. Ik bedoel, het zijn chique huizen, vindt iedereen. Herenhuizen. Je weet wel. Hoog, ranke raampartijen, witte gevels.’ Ze neemt een trek waar ze geen zin in heeft. Het ratelen gaat vanzelf, de onzin glijdt als kwijl uit haar mond. ‘De plafonds zijn twee keer zo hoog als ikzelf. Als je op de bovenste verdieping staat, zie je de Westertoren. Dat is de hoogste toren van Amsterdam. De klokken slaan om het kwartier, de volle mep. Ik word er niet eens meer wakker van.’

Ze merkt dat ze aan haar ring draait. Ze legt haar hand plat op tafel, voelt hoe plakkerig het plastic is en vouwt haar hand toch maar onder haar kin. Het meisje is weg, maar de vrouw die ervoor in de plaats is gekomen, kan ze maar moeilijk in dit decor plaatsen.

‘Maar jij. Jij woont dus nog steeds in Marzahn?’

Alexander kijkt op. ‘Is het interview al begonnen?’

Julia’s wangen worden warm. Juist op dat moment zet de serveerster, die ze dit keer niet voelde aankomen, twee mokken koffie voor hen neer. Julia neemt een slok voor ze beseft dat de koffie te heet is.

‘Pas op,’ lacht Alexander cynisch bij wijze van antwoord op de tranen die haar in de ogen springen, ‘sommige dingen zijn er hier op vooruitgegaan.’

‘Blijkbaar, ja,’ mompelt ze.

Uit de boxen klinkt een loodzware stilte. Dan de korte tikjes van een cd die wordt verwisseld.

'Je wilde me interviewen, zei je.'

Julia blaast in haar koffie en knikt. Dat heeft ze gezegd tegen Alexander, gisteren, aan de telefoon. Nog voor ze banaliteiten konden uitwisselen, nog voor hij haar kon vragen waarom ze hem belde en de stupiditeit van haar actie hoorbaar zou worden, als een ruis op de telefoonlijn, nam haar stem een zakelijke toon aan en zei ze dat ze een artikel over Oost-Berlijn schreef. Ze zou hem als sportman en uithangbord van de DDR, of van wat niet meer is eigenlijk, graag interviewen; dat zei ze tegen het stinkende bakeliet. Ze voelt hoe de nicotine haar benen vloeibaar maakt, langzaam, en leunt tegen de rug van haar stoel, die lichtjes meeveert, meer dan haar harde schouderbladen aankunnen, en ze legt haar ellebogen weer op tafel.

'Dus je bent journalist geworden.' Alexander kijkt haar nog steeds aan met ogen die lachen zonder twinkeling.

'Ja.'

'Van een krant.'

'Van een grote krant, ja.'

'Ah. Nou ja, misschien komt dat ook wel op hetzelfde neer.'

Julia kijkt hem niet-begrijpend aan. 'Als wat?'

'Als wat je wilde worden.'

Zijn ogen lichten op, heel even. Maar het is lang genoeg.

Ze zou studeren. Geschiedenis. De ware geschiedenis, ongekleurd en onverbloemd. Ze zou geschiedenis studeren en lesgeven aan studenten die ze zou leren na te denken, zelf na te denken en een mening te formuleren.

Dat zou ze doen, ja. En weet je nog, fluisteren de ogen voor haar, als je 's avonds thuiskwam dan zou je mij in de tuin vinden onder de lindeboom en we zouden wijn uit een glazen fles drinken en praten over krantenartikelen die we hadden gelezen, over de toekomst die als een ongeschreven boek voor ons lag en de reis naar Parijs die we gingen maken, en we zouden vrijen, in de modder, niet omdat we geen binnen meer hadden maar omdat het lekker was, modder op je blote billen.

Ze schudt haar hoofd. Nee, ze is geen onderzoeker geworden, ze heeft niet eens gestudeerd. Ze heeft Nederlands geleerd, ze heeft coq au vin leren maken en hoe je een conversatie met chirurgen, bankiers en advocaten gaande houdt, en vooral met hun echtgenotes. En op een dag zei een van die advocaten dat een goede vriend van hem hoofdredacteur was bij een groot dagblad waar ze een vrouw als zij vast wel konden gebruiken op de door kemphanen bevolkte redactie. Een Oost-Duitse, zei hij, met een talent voor nuances. Een Oost-Duitse, bedoelde hij, die goed heeft geleerd haar mening voor zich te houden. Het was goed bedoeld van die advocaat, die niet kon weten dat het dagblad geenszins zat te wachten op een Oost-Duitse zonder mening, noch op een Oost-Duitse met een mening, maar toevallig wel op een vrouw uit de grachtengordel die leuk kon schrijven over vernissages en dure restaurants.

'En dan nog voel ik me geen journalist,' bekent Julia. 'De enige reden waarom ik ben aangenomen is waarschijnlijk het artikel dat ik nu moet schrijven.'

'Dat zal wel niet,' zegt Alexander, met het rotsvaste vertrouwen in haar dat hij altijd had, maar dat nu een glimlach op haar ziel tovert. 'Niemand kon weten dat de Muur zou vallen.'

Nee, peinst Julia, en ze slaat haar armen over elkaar. Ze staart naar de man wiens geur ze misschien nog zou kennen, zo goed dat ze hem niet meer zou ruiken.

'Ik heb wel een lindeboom.'

Alexander slaat zijn ogen neer. 'Dat is mooi.'

'Er zit alleen nooit iemand onder,' haast ze zich te zeggen, omdat ze ook niet weet waarom ze zoiets stoms zei. Ze liegt niet. De lindeboom staat achter in de tuin, in de enige hoek die niet is betegeld, de enige hoek waar ze nooit zitten omdat Ysbrand niet wil dat de stoelen op het gras staan.

'Kinderen?'

'Een zoon.'

Alexander knikt, alsof ze hem niets nieuws vertelt. Maar er is zo veel dat hij niet weet. Dat Ollie de wereld met een ernstige blik bekijkt. Dat hij voorzichtig is, bang om te vallen en liever met zijn auto's en boeken binnen is dan buiten, waar de buurjongens als Tarzan door de tuin zwaaien en schreeuwend achter elkaar aan rennen. Dat hij een hockeystick kreeg voor zijn verjaardag maar dat die nog altijd ongebruikt in de gang staat, de grote marmeren gang waar hij als peuter een keer zo hard viel dat hij weken met een korst op zijn neus liep die nu een litteken is geworden, een streepje precies tussen zijn cognacbruine ogen.

'Hij heet Olivier,' fluisterde ze.

Zijn naam. Een golvende galm. Tegen zijn echo verstommen alle andere geluiden alsof haar stem het enige geluid is in het café, in Berlijn, in de wereld. Ze ziet de klanken in slow motion naar Alexanders oor zweven, het oor dat haar recht aankijkt omdat hij zijn hoofd heeft afgewend, en kijkt scherp toe of ze enig effect sorteren. Een wenkbrauw die trilt misschien, een mondhoek die trekt. Maar niks.

Hij draait simpelweg zijn hoofd op zijn sterke nek, de nek waar twee smalle jongensarmpjes om zouden passen, en kijkt haar glimlachend aan.

'Dat is een mooie naam.'

Alexander schraapt zijn keel.

'Nu dan,' zegt hij. Hij wipt het bierviltje op tafel en geeft er een klap op, zo hard dat Julia's huid ervan trilt. 'Om antwoord te geven op je vraag: ik woon er nog, ja. In onze gevangenis.' Hij grinnikt. 'Ach, zo slecht is het er niet. Er zijn mensen die het slechter hebben getroffen.'

Dat zei hij toen ook, toen ze hun appartement kregen en Julia ontsteld was over de als blokkentorens in elkaar geknutselde flats die de Partij vol trots uit de grond had gestampt. Marzahn was het trotse antwoord van Erich Honecker op de woningnood in de stad. Met tientallen tegelijk rezen de kolossen op tegen de horizon, mistroostig als de bepiste metromuren onder de grond. De onderlinge afstand was precies zo groot dat er een bouwkraan tussen paste om de platen op te trekken, had Julia schamper opgemerkt toen Alexander haar opgetogen had opgehaald om samen de sleutel in het slot te draaien.

'Nog steeds?'

Alexander knikt. Hij haalt zijn schouders op. 'Nu ja, de balkons zijn geschilderd. Ineens kwamen ze met busjes tegelijk, mannen met ladders en bussen verf. Elke flat kreeg een andere kleur, die van ons werd blauw. Je zou het misschien wel mooi vinden, in elk geval is het een stuk makkelijker om je flat te herkennen.' Zijn korte lach snijdt door de ruimte. Dan plooit zijn voorhoofd zich weer in een frons. 'De meeste mensen uit de flat zijn werkloos geworden. De fabrieken zijn bijna allemaal gesloten, of overgenomen. De Wende kwam en iedereen was blij. Ze rolde als een tornado over de stad. Nu is de storm geluwd en is de puinhoop zichtbaar. De levens die hun richting kwijt zijn, als fietsen zonder stuur. Ze zitten maar wat te zitten in hun flat, Dieter, en Hans, en Hella en Jasper. Een jaar geleden moesten ze nog elke ochtend de wekker zetten, nu blijven de gordijnen dicht, alsof ze de buitenwereld op pauze hebben gezet en zich beraden op een tactiek om terug te spoelen.'

'En jij, zit jij nog bij de club?'

Hij schudt langzaam zijn hoofd. 'In deze nieuwe wereld is maar een enkeling goed genoeg, zei de coach.'

'En nu?'

Julia volgt Alexanders blik naar buiten, door het raam, naar het gevaarte op drie wielen waar ze zo-even aan voorbij moet zijn gelopen. Er zit een vuilwitte kap op bevestigd met gillend rode letters. Ze weet haar ontsteltenis maar half te verbergen.

'Rijd je op een fietstaxi?'

'Nu ja, het is tijdelijk. En niet eens zo erg, hoor. Ik kan elke dag mijn spieren trainen.'

Het is moeilijk te geloven. Alexander Scholl, die Alexander de Grote werd genoemd, niet eens omdat hij wat records brak, maar vanwege zijn uitzonderlijke lengte en, volgens Julia, vanwege zijn grootse karakter, is door de republiek meegesleurd in haar val, en zijn landing is het onaantrekkelijke zadel van een fietstaxi.

Ze had het niet kunnen verzinnen.

Ze kijkt nog eens naar zijn haar. Het zou hem beter staan als hij het helemaal zou afscheren.

'Moet je niets opschrijven?' vraagt Alexander.

'Wat? O dat. Ja.' Ze pakt haar notitieboekje uit haar tas en een pen.

De doorgekraste zin benadrukt de leegheid van de eerste pagina. Ze slaat om. Haar pen danst over het papier, schrijft *Van held naar hel* en streept het weer door, twijfelend tussen Nederlands en Duits, tussen nieuw en oud. Uiteindelijk krast ze maar wat. Geen woorden. Geen zinnen. Geen zin.

'Maar het is goed, dat wel.'

'Wat?' Julia kijkt verwonderd op.

'De Wende. Het dringt misschien niet tot ons door, maar dat komt doordat we nog achter een andere muur zitten. Verscholen achter het collectief. We weten niet, of niet meer, hoe het is om een individu te zijn, met een eigen wil en een mening over de dingen. Een mening over ons leven, dat er ineens anders uitziet. Niet dat er iets is veranderd. Maar we zijn aan de andere kant geweest. We hebben gezien hoe het er in West uitziet. Daarbij vergeleken' – hij kijkt even spiedend om zich heen, alsof in de lambrisering nog ogen en oren kunnen zitten – 'daarbij vergeleken had je gelijk: Marzahn is een blokkentoren die je niet kunt omgooien.'

'Nu, ik geloof dat je weleens anders hebt gesproken.' Julia recht haar rug. Ergens in haar klapt een luikje open, of een paar. De scharnieren krassen, stof dwarrelt omhoog naar haar keel. 'Of liever geschreven.'

De koffie smaakt bitter.

Zo bitter dat ze het eerst niet gelooft. Maar het zijn echt zijn warme handen die ze plots op de hare voelt en zijn stem die woorden fluistert die ze in al die jaren evenmin heeft kunnen verzinnen.

West-Berlijn, september 1979, Uferstraße

'Kop of munt?'

Het kind dat voor Julia staat heeft net zulk zwart haar als zij en kijkt met brutale bruine ogen naar haar op.

'Kop.'

Bij kop komt Alexander snel. Bij munt komt hij niet snel.

'Munt!' Het kind brult een lach en rent zo hard als zijn mollige beentjes kunnen langs haar de gang door, de trap af.

Julia zucht en laat de knop van de badkamerdeur los. Ze omvat met beide handen haar buik en blijft een ogenblik stilstaan om de nieuwe golf van misselijkheid te bedwingen. Ze opent haar ogen als ze de deur van haar vaders slaapkamer hoort.

'Dag Margot,' perst ze eruit.

'Chérie, gaat het wel goed?'

Margots hand voelt aangenaam koel op haar voorhoofd.

'Gaat wel.' Julia dwingt haar mond in een glimlach. 'Ik denk dat ook mijn lijf moet wennen.'

'Kom, jij moet wat eten,' zegt Margot gemoedelijk en ze wil haar arm door die van Julia steken. Julia doet instinctief een stapje opzij, ongemakkelijk onder de zorgen van deze vrouw die ze amper kent. Margot, op haar beurt, doet of ze de afwijzing niet opmerkt en loopt glimlachend voor haar uit naar de trap. Terwijl Julia achter haar plompe figuur aan loopt, de trap af, naar de keuken waar Laurent al aan tafel zit, verwondert ze zich voor de zoveelste keer over de grote verschillen tussen deze vrouw, die ze een krappe twee weken geleden voor het eerst zag, en Frida, die ze ruim twee weken geleden voor het laatst zag.

Frida was een mooie vrouw. Was, want er is weinig meer van over. Julia kent haar alleen van foto's, die vrouw, en uit haar vroegste herinneringen. Flarden, van een vrouw met honingblond haar, een ovale kaaklijn, een huid zo effen als papier en een rechte rij melkwitte tanden, flarden die steevast gepaard gaan met een geur van sigaretten en amber, haar lome, zoete parfum. Julia kan zich niet herinneren dat parfum ooit nog te hebben geroken, niet meer sinds haar moeder stopte met lachen, met nauwsluitende truitjes op wollen rokken dragen en haar taille te accentueren met een leren riempje. Dat moet zo ongeveer zijn sinds de dag dat hun vader niet meer thuiskwam en Frida zich ging kleden zoals de vrouwen in de fabriek: in groene schorten en lompe schoenen die haar fraaie gestalte reduceerden tot een schim van het verleden. Julia was vijf en kan het zich niet zo precies herinneren, maar Güdrun was net twaalf en had het haarfijn opgeslagen in haar geheugen. Meer dan eens had ze Julia de teleurstelling in hun moeders ogen beschreven toen hun vader wegging. En hoe de glans definitief verdween toen zijn brief in de brievenbus lag, vijftien dagen later. Hij was al open geweest, de envelop, ze hadden niet eens de moeite gedaan hem weer dicht te plakken. Maar er was niets doorgehaald, niets geknipt uit de boodschap van Laurent. Wie zijn vrijheid opgeeft, geeft zijn menselijkheid op, schreef hij. En dus geef je mij op, vroeg Frida vertwijfeld aan het stuk papier in haar handen. Het zei niets terug, hoe lang ze er ook naar bleef staren. En dat, zei Güdrun, was de dag dat Frida was gestopt een mooie vrouw te zijn.

Om de een of andere reden had Julia altijd aangenomen dat

het een mooie vrouw was met wie haar vader in West was hertrouwd, een vrouw die het zich kon permitteren om mooi te blijven. Maar Margot is waarschijnlijk nooit een mooie vrouw geweest. Ze heeft brede heupen die ze in vormeloze rokken tot halverwege haar kuit steekt. Ondanks haar leeftijd, die nooit veel hoger dan veertig kan zijn, heeft ze asgrijze haren, die sluik langs haar vale gelaat hangen, of zijn opgestoken in een losse paardenstaart die de grove lijnen van haar profiel benadrukt. Ze doet geen enkele moeite de korrelige structuur van haar huid te verdoezelen; ze heeft vast niet eens doosjes met poedertjes, zoals Frida. Maar ze lacht, veel en lief, en heeft ogen die weliswaar iets uitpuilen, als de uilenogen van de Franse filosoof op haar vaders boeken, maar die van een peilloos blauwgrijs zijn dat Julia doet denken aan de Poolse meren waar Alexander het altijd over had. Margots hele wezen straalt uit dat het haar niet interesseert hoe ze eruitziet, en dat maakt haar gebrek aan schoonheid tegelijkertijd haar kracht. Er is meer in het leven dan uiterlijkheden, en zij weet wat. Die wetenschap, die ongrijpbare kennis van hogere zaken, verankert haar in het bestaan op een manier die iedere schoonheid ontstijgt. Zo kan het dat Margot, met een rustige glimlach en waarschijnlijk zonder het bewust te willen, ook ogen op zich gevestigd weet – van haar studenten, die in jaloerse adoratie staren naar het vernuft van hun docente, in wier ogen de intrinsieke twijfel van een denker besloten ligt en wier handen alle feministische filosofen hebben doorgebladerd. En van Laurent Günzburg, die in haar Franse bloed vermoedelijk het land van zijn moeder herkent, dat hij zegt te hebben gemist zonder er ooit te hebben gewoond. Nu Julia hen zo samen ziet, begrijpt ze misschien wel waarom haar vader een nieuw leven in West verkoos boven hun leven in Oost, waar hij zijn boeken onder planken moest verstoppen en zijn ziel achter woorden.

'Kop of munt, kop of munt,' dreint het kind tegen haar rug.

'Benjamin, chéri, nu ophouden,' zegt Margot geduldig. Haar Duits is feilloos, maar Benjamin spreekt ze op z'n Frans uit. Terwijl ze het kind naar de woonkamer leidt, legt Laurent zijn boek neer en schuift een stoel van tafel. Een poging tot gastvrijheid, ziet Julia.

'Wil je koffie?'

Julia schudt haar hoofd. 'Thee, alsjeblieft.'

'Komt eraan,' zegt Margot als ze de keuken weer binnenkomt. In het voorbijgaan tikt ze hun oudste zoon tegen de arm. 'Sébastien, pak jij even een bord voor Julia.'

Met nauwelijks verholen tegenzin staat de jongen op van tafel en sloft naar de kast. Zonder iets te zeggen zet hij een bord voor Julia neer, om dan in één beweging door te lopen naar de gang, iets mompelend over huiswerk.

'Zo. Juliette.' Laurent lacht. Zijn ogen doen niet mee, ze zoeken naar een onderwerp. 'Zo. En wat ga je vandaag doen?'

'Laat je dochter maar even,' komt Margot tussenbeide, 'ze voelt zich niet zo goed vanmorgen.'

'Niet zo goed?' Vragend kijkt hij naar Julia. 'Wat is er dan?'

'Niets. Ik ben een beetje misselijk, dat is alles.'

'Ach. Nou. Rustig aan dan maar.'

Haar vader pakt zijn boek weer op. *Le livre du rire et de l'oubli*, staat op het omslag. Julia zou willen vragen wat het betekent, maar zegt niets. Ze kan zich niet aan de indruk onttrekken dat hij blij is dat hij niet met haar hoeft te praten, maar heeft een te wee gevoel in haar maag om erover na te denken. Ze heeft er al elke nacht sinds haar aankomst over nagedacht en is nog steeds niet verder gekomen dan de conclusie dat ze vreemden zijn geworden voor elkaar. Toen hij haar kwam ophalen op Marienfelde herkende ze hem meteen, maar daar was ook alles mee gezegd. De rijzige man die haar kant op kwam, was onmiskenbaar haar vader. De hoekige kaaklijn, de glimmende schedel, de diepbruine ogen die vriendelijk maar gereserveerd de wereld in kijken – ze heeft er vaak genoeg naar gestaard op de zwijgende foto op haar nachtkastje. Zelfs zijn stem herkende ze, constateerde ze opgelucht toen hij haar naam zei. Juliette. Hij was de enige die haar zo noemde. Frida wilde het niet hebben, ze vond het te Frans, te weinig Duits. Maar Laurent deed altijd dingen die Frida niet wilde hebben, hij leek het al te zijn vergeten als ze het net had verboden. Hij praatte nog net zo statig, alsof hij elke klank afwoog voor hij hem over zijn volle lippen liet rollen. Maar al na een paar zinnen voelde ze het: de afstand die de jaren onverbiddelijk tussen hen in hadden gebeiteld.

Althans, dat dacht ze toen nog, dat het de jaren waren. Toen waren ze nog niet de Uferstraße in gereden, had ze nog niet haar ontroering ingeslikt bij het zien van uitgerekend die straatnaam op het huis van haar vader, het grote witte hoekhuis dat nog mooier was dan ze zich had voorgesteld, met een eigen voordeur en een eigen gang die twee keer zo hoog was als Julia en waarin zij twee centimeter leek te krimpen, terwijl haar vader juist twee centimeter leek te groeien, en ook de vrouw die haar tegemoet kwam uit de aangrenzende keuken met elke pas groter leek te worden, de vrouw met wie haar vader twee nieuwe kinderen had, een nieuw gezin, een nieuw leven. Ze had nog niet alleen met haar vader in die stille woonkamer gezeten, op de bank, met Güdrun tussen hen in en haar dood, haar begrafenis, de brieven die Julia had geschreven om haar vader ervan te overtuigen dat Güdrun was gaan zwemmen, de brieven die ze niet terugkreeg, de overtuiging dat ze haar brieven maar gewoon verscheurden en nooit verstuurden omdat er te veel in stond om te knippen en krassen, met dat alles tussen hen in. Het was bijna te hoog om overheen te kunnen reiken. Julia probeerde het toch, ze vroeg heb je mijn brieven gekregen, toen, over Güdrun, en Laurent knikte. Ze dacht eerst dat ze het niet goed zag, door die hoge berg van Güdrun en dood en brieven en knippen en krassen, en ze knipperde nog eens met haar ogen, maar hij deed het echt. Hij knikte. Ik heb ze ontvangen, zei hij, alsof het heel normaal was dat hij ze had ontvangen maar er nooit op had gereageerd. Maar weet je dan, vroeg Julia, dat ze is doodgeschoten, en Laurent sloeg even zijn ogen neer en keek naar de toppen van zijn vingers voor hij opstond en zijn hand op haar voorhoofd legde. Het enige wat ik weet, zei hij, is dat ze er niet meer is – en hij liep naar de keuken, naar zijn vrouw, naar zijn nieuwe leven. En ineens wist Julia wat ze had gezien, die ochtend, toen hij haar was komen ophalen.

'Is dát jouw vader?' had een medewerkster van Inburgering vol ontzag gefluisterd toen Laurent door de poort van Marienfelde kwam, en heel even had Julia hem bekeken door andermans ogen. Ze had een man gezien, een knappe man, een criticus, een autoriteit. Maar geen vader.

'Hier.' Margot gooit een stuk krant op Julia's bord. Het is opengeslagen op de sportagenda. 'Bij zaterdag.'

Julia veert op en pakt de krant. Haar ogen schieten zo snel over de kolommen dat ze niets leest. Als ze ze tot rust dwingt, worden haar ogen als magneten getrokken door de kop waar ze nog niet eens op had durven hopen. *Deutscher Verband für Leichtathletik der DDR (DVfL).* Julia leest nerveus verder. [ ] *500 meter sprint* [ ] *zaterdag 8 september* [ ] *Olympiastadion* – haastig vliegen haar ogen over de namen, tot ze blijven hangen en wel drie keer lezen of het er echt staat: *Alexander Scholl.* Opwinding duwt haar misselijkheid weg. Alexander is erbij, Alexander is over vijf dagen in West-Berlijn. Sneller dan de zwaluwen, had hij beloofd, gefluisterd in haar nek, in haar oorschelp, elke laatste keer dat ze elkaar zagen aan de oever, drie weken en twee dagen geleden voor het laatst. Hij zou gelijk krijgen. Hij zou eerder westwaarts vluchten dan de zwaluwen zuidwaarts. Eerder nog dan Julia had durven dromen. Ze kijkt met een ruk op, naar Margot, recht in haar moederlijke glimlach, en voor het eerst vindt ze die lach niet vervelend, fijn misschien zelfs wel. Ze kijkt nogmaals naar die naam, naar dat onthutsende geluk dat daar op krantenpapier gedrukt staat; ze voelt hoe haar bevende lippen een lach proberen. Alles gaat precies volgens plan, ze zou blij moeten zijn, zorgeloos, licht. Maar het heimwee van de voorbije weken wint het van alle spieren in haar gezicht en spoedt zich een weg naar buiten, langs haar wangen, over haar kin in de kraag van haar jurk, alsof het zich al die tijd in angst heeft laten vangen en nu als een luchtbel knapt.

'Och nu toch.' Margot slaat haar beide armen om Julia. De wasmiddellucht van haar blouse dringt door Julia's neusgaten en ze voelt zich een vreemde in de mollige armen, maar ze laat zich willoos heen en weer wiegen. Ze bezit de kracht niet om de vrouw subtiel van zich af te schudden, en ze kan niet ontkennen dat ze het prettig vindt, de vanzelfsprekendheid waarmee Margot haar verdriet ontvangt. 'Och och,' fluistert ze alleen maar. Toe maar, huil maar, zegt ze met woorden en haar hele lichaam.

'Alsof er iets is om te huilen,' snottert Julia half lachend, half verontschuldigend naar haar vader, die onwillig zijn blik losmaakt van het boek in zijn hand. Margot laat haar armen los. Julia veegt met haar mouw de tranen weg, maar ze komen onverstoord terug. De blijdschap weet het maar niet te winnen van het ineens rauwe besef van afscheid, dat haar met terugwerkende kracht in het gezicht slaat alsof haar vlucht nu pas definitief is, nu Alexander zich snel bij haar zal voegen.

'Nu,' zegt Margot kordaat, terwijl ze haar handen in de zij zet. 'Wat zullen we eens voor jou laten maken?'

'Maken?' Onzeker kijkt Julia op.

'Maken, ja. Het is de hoogste tijd voor een Natasja.'

Julia kijkt niet-begrijpend. 'Wat is een Natasja?'

'Wie is Natasja,' corrigeert Margot haar met een geheimzinnige lach. 'Natasja is mijn hoop in bange dagen. En in blije dagen. Zaterdag is een blije dag. Een dag om Natasja te vragen iets voor jou te naaien. Haar vingers zijn krom en gerimpeld als van een baboesjka, maar ze maakt de prachtigste dingen. Ze heeft mijn trouwjurk genaaid, en pakken voor de jongens. En voor Laurent' – ze knipoogt samenzweerderig – 'heeft ze nog niets mogen maken, maar die krijg ik weleens zover dat hij zich door een Russische de maat laat nemen.'

Laurent glimlacht afwezig; hij is terug bij Kundera.

'Als jij het zegt,' mompelt Julia, met een laatste veeg over haar wang.

Geen koffer, nog niet een tasje met toiletspullen heeft Julia kunnen meenemen uit haar oude leven. In Marienfelde was een depot met kleren voor vluchtelingen, maar er had weinig in haar maat tussen gehangen. Een versleten trui met strepen en een te wijde spijkerbroek, dat was wat ze eruit had kunnen slepen, en uit een kist had ze een paar sokken, twee onderbroeken en een hemd gevist. Dat hemd heeft ze na één keer dragen weggegooid omdat haar rug ondraaglijk jeukte. De rest heeft Margot ogenblikkelijk in de vuilnisbak gekieperd toen ze nog geen dag in huis was. 'Wat is dat nu voor welkom in West,' had ze gemopperd en ze had Julia flink wat Duitse marken gegeven om nieuwe kleren te kopen. Maar iets echt moois, nee, dat heeft ze er niet van gekocht.

'Kom.' Margot pakt Julia bij de arm en troont haar de keuken uit, langs Benjamin, die verveeld in de deuropening staat te dralen.

'Het was toch kop,' lacht Julia en in een opwelling woelt ze een hand door zijn haar.

'Au,' roept het kind klagend, maar dan zijn de twee vrouwen al grinnikend de trap op.

Boven, in Margots werkkamer, maakt Julia kennis met een onvermoede kant van haar stiefmoeder, of liever gezegd: met een onvermoede verzameling. Twee van de vier muren worden bijna integraal in beslag genomen door hoge ramen, waarvan het uitzicht wordt belemmerd door de wilgen in de achtertuin, die zich wild tegen het huis aan schurken. De donkergroene schaduw die van hun takken de kamer in valt geeft Julia een geborgen gevoel. De langste van de andere twee muren wordt bedekt door een plafondhoge boekenkast van mahoniehout, waarlangs van hetzelfde hout een rollend trapje is bevestigd om bij de bovenste planken te komen. Oude boeken met versleten stoffen omslagen worden afgewisseld met een rij identiek witte kaften met dunne zwarte letters ('De bouquins van mijn moeder,' wijst Margot), een paar glimmend zwarte ruggen met frambozenrode letters ('De thrillers die ik niet mag lezen van Laurent'), een rustige reeks Pléiades ('Van mijn vader geërfd') en vijf planken vol lijvige filosofische naslagwerken ('In de DDR zou je onmiddellijk worden ingerekend,' grapt Julia). Voor de vierde muur staat een antieke manshoge kast die niet alleen in omvang, maar ook in stijl een grillig contrast vormt met de strakke elegantie van de rest van de kamer. Het ouderwetse model op sierlijke pootjes is buikig als de dames op de Kurfürstendamm, en onttrekt zijn inhoud aan het oog door witgelakte deuren. Margot draait met een geheimzinnige blik het gekrulde sleuteltje in het slot om en zwaait de deuren met een theatraal gebaar open.

'Voilà,' roept ze triomfantelijk.

De zes planken die de kast telt buigen in het midden door onder het gewicht van opgestapeld papier. Stapels gebonden, grauw papier dat in vijf stapels per plank hoog opgetast naast elkaar ligt. Hoe hoger de plank, hoe minder beduimeld de bundels papier, alsof ze maagdelijker zijn, minder aangeraakt door bevochtigde duimen en wijsvingers.

Vragend kijkt Julia naar Margot. 'Wat is dat?'

'Dat, chérie, zijn veertien jaargangen emancipatie,' antwoordt Margot terwijl ze een paar bundels van een stapel pakt, 'gevat in mode en schoonheid.'

Verwonderd pakt Julia het stapeltje aan. Ze weet wel wat een tijdschrift is, natuurlijk. Bij de Freie Deutsche Jugend hadden ze er een, waarvan ze iedere week een fikse stapel in een schoudertas kregen die ze elk in een andere wijk van de stad mocsten rondbrengen. En haar moeder kreeg er elke eerste dinsdag van de maand een in de bus van de fabriek. Maar noch die voor de jeugd, noch die voor de arbeidsters zag eruit als deze, die allemaal de naam *Elle* dragen. Vanaf de omslagen lachen opgemaakte vrouwen Julia stralend toe, met tanden zo wit als tandpasta en ogen die lijken op de ogen die Güdrun tekende als ze portretten schetste van de schoonheden die ze aan hun vaders zijde vermoedde. Güdrun kon goed tekenen en ze maakte keurige amandelvormige ogen boven geprononceerde jukbeenderen, maar ze misten de glans van een echt oog – net als deze, die niet meelachen met de opgekrulde lippen eronder. De vrouwen zijn knap, perfect eigenlijk, maar hun lichamen zien er een beetje gek uit, vindt Julia, in jurken die eruitzien als onbuigzame buizen en pakjes waarvan de felgekleurde, glimmende stof doet denken aan het bankstel dat Margot en Laurent beneden in de woonkamer hebben staan. Het enige waardoor je kunt zien dat ze een sierlijk slank lijf hebben, is door de rokken, die veel korter zijn dan de rokken die hun moeder ooit droeg. De dunne, vlekkeloze benen die eronderuit steken doen Julia onwillekeurig denken aan haar eigen benen, waarvan ze eigenlijk niet zou kunnen zeggen of die net zo mooi effen en egaal zijn. Wat ze wel kan zeggen is dat haar haar lang niet zo hoog boven haar hoofd uitsteekt als de kapsels van deze vrouwen, haar wimpers nog niet half zo lang zijn als die van hen en dat ze nooit heeft geweten dat oren zulke grote oorbellen kunnen dragen.

'Dat zijn de glamoureuze jaren zestig,' zegt Margot en ze pakt een paar nummers van de bovenste plank, waarop de vrouwen lange sluike haren met een scheiding in het midden hebben en wijd uitlopende broeken dragen. 'Dit zijn de vrijzinniger jaren zeventig. Ik denk dat hier eerder iets voor jou bij zit.' Ze gaat zitten op een blauwfluwelen tweezitter die in de hoek staat en maakt een uitnodigend gebaar naar Julia dat ook te doen.

Julia gaat naast haar zitten en bladert door de tijdschriften. De teksten zijn in het Frans, maar ze begrijpt dat ze gaan over dingen die ze nooit eerder in een tijdschrift zag. Mode. Make-up, *beauté* genoemd. Seks. Ze ziet fascinerende plaatjes waarin stap voor stap wordt uitgelegd hoe je je wimpers met een eng uitziende tang krult en zwart maakt. Hoe je twee kleuren poeder op je ogen smeert en naar buiten uitwrijft. Een ander nummer staat vol met paginagrote foto's van heel korte jurken, gedragen door een meisjesachtig type met kort witblond haar en zwartomrande ogen die zo groot zijn dat ze wel een pop lijkt.

'Dat is Twiggy,' zegt Margot. 'En dat,' wijst ze als Julia verder bladert, 'dat is Françoise Hardy. Een yé-yé-meisje.'

'Jee wat?'

'Yéyé, dat is een term die in Frankrijk populair is, vooral vanwege de schijnbare onschuld waarmee jonge zangeressen de meest erotische teksten de camera in zuchten.'

Julia knikt. Ze voelt zich dom dat ze dat niet weet en nota bene moet horen van een professor filosofie die in rokken loopt waarvan zelfs zij de gedateerdheid afleest.

'Mijn moeder stuurt mij deze tijdschriften toe,' beantwoordt Margot Julia's vraag zonder dat ze hem stelt. 'Ongevraagd en steevast, al sinds 1965.'

'Waarom?'

Margot zucht eens diep. 'Dat ik naar Berlijn ging was een aderlating voor haar. Haar enige dochter, die uitgerekend Parijs verliet voor de meest onsexy stad in die tijd. Wat moet je met dat starre volk, zei ze tegen me. Ik moest in Parijs blijven, daar gebeurde het, daar begon de revolutie. Nu gebeurde daar inderdaad heel wat,' lacht ze met een veelbetekenende blik waarvan de betekenis Julia ontgaat, 'maar hier ook. In West-Berlijn broeide het net zo goed. Ik heb nachten doorgehaald in bezette collegezalen, we hebben het hele curriculum hervormd, er is zelfs een student doodgeschoten in alle oproer. En – dat gebeurde in mijn kleine leventje – ik leerde je vader kennen.' Ze glimlacht. 'Dat ik hier bleef, kon mijn moeder niet begrijpen. Waarom neem je die vent niet mee hiernaartoe, zei ze. Hij heeft nota bene Frans bloed. Maar hij wilde niet, je vader. Hij moest in Berlijn blijven, vond hij, dicht bij zijn dochters.'

Margot knijpt even in Julia's hand, die ineens onnatuurlijk stevig het papier vasthoudt.

'Enfin, als een stil protest is mijn moeder toen begonnen met die bladen. Elke maand krijg ik er vier in een grote envelop in de brievenbus, er zit niet eens een begeleidend briefje bij,' lacht ze.

'En die bewaar je?'

'Zo veel mogelijk. Ik zou ze liefst allemaal bewaren, maar dan zakt mijn kast door zijn pootjes. Ik denk dat mijn moeder dat ook niet leuk zou vinden. De kast is van haar grootmoeder geweest.'

'Maar waarom bewaar je ze?'

Margot pakt het stapeltjes *Elle*'s van Julia's schoot en slaat er een open op een paginagrote studiofoto. 'Kijk nu eens.' Ze zoekt even en pakt een ander nummer, dat ze ook openslaat. 'En hier. Zie je het verschil?'

Julia kijkt. Op de ene foto staart Twiggy haar aan met haar poppengezichtje. Op de andere, fletsere foto staan vijf vrouwen in een weiland, de vage gloed van de zon licht hun lange sluike haren op, onder hun gebloemde lange jurken staan hun voeten bloot in het gras.

'En hier.' Margot is opgestaan en slaat een nummer van de onderste plank open. Een vrouw met blond, keurig gekapt haar lacht in de camera terwijl ze met een pollepel in een pan roert en een kleuter aan haar rokken speelt. De foto zou zo op een partijposter kunnen staan, bedenkt Julia. 'Dit zijn de jaren vijftig,' doceert Margot. 'Twiggy is typisch jaren zestig en deze vrouwen,' – ze wijst op de vrouwen in het weiland – 'dit zijn de hippies van nu. Zie je wat een wereld van verschil? Hoe ouderwets deze vrouw aan het fornuis uit de jaren vijftig nu oogt, terwijl het krap twee decennia geleden is dat vrouwen zo waren?'

Julia knikt weifelend. Ze heeft, een beetje tegen haar verwachting van het Westen in, het akelig vertrouwde gevoel toeschouwer te zijn van de wereld in plaats van er deel van uit te maken.

Margot kijkt haar even zwijgend aan. Dan schakelt ze over op een serieuze toon waarvan Julia vermoedt dat ze die in de collegezalen ook gebruikt.

'Er is veel gebeurd met vrouwen, Julia. Belangrijke dingen. Vrouwen hebben een vrijheid verworven die ze nooit hadden. Ze hebben zich vrijgevochten. Hun zelfbeeld is veranderd, en het beeld dat mannen van hen hebben wat zeg ik, de hele tijd is veranderd. Kijk naar deze *Elle*'s,' ze houdt met beide handen een stapeltje in de lucht. 'Ze zijn er het tastbare bewijs van. Daarom bewaar ik ze, beter studiemateriaal bestaat niet.'

Terwijl Margot de jaren vijftig en zestig terug op hun plaats legt, kijkt Julia nog eens naar de foto van het yéyé-meisje. Vanonder een pony kijken twee grote dromerige ogen haar aan, met een mengeling van ernst en brutaliteit die ze met een schok herkent. Güdrun had dezelfde blik. Julia glimlacht door twee plotse tranen heen en belooft het meisje op de foto dat ze spoedig met eenzelfde zelfverzekerdheid de wereld in zal kijken. Heel spoedig, als Alexander er is en ze zal studeren, werken, als ze eindelijk aan hun leven zullen beginnen. Als ze misschien wel Frans spreken en in Parijs wonen, wie weet. De wereld wacht, open en vrij, en Julia durft bijna haar vingers samen te knijpen van blijdschap. *Bijna*.

'Maar nu,' zegt Margot resoluut terwijl ze met een grote stapel bladen van de bovenste plank terug naar de bank loopt, 'nu gaan we iets voor jou uitzoeken. Hier, kijk jij maar vast wat je mooi vindt. Dan bel ik Natasja om te vragen of ze morgen haar meetlint meeneemt.'

Terwijl Margot de kamer uit loopt, zet Julia zich ernstig aan haar taak. Ze heeft geen idee wat ze mooi vindt, maar voelt een ongeduldige urgentie om het wel te weten. Alsof ze met het bepalen van haar smaak weet wie ze is, of zal worden. Ze bladert bedachtzaam door de pagina's, laat elk plaatje op zich inwerken en prent zich in vooral goed op de details te letten. Iets in de foto's zegt haar dat dat belangrijk is, details. Kousen, snit, silhouet. Stof niet te vergeten, want deze kleren lijken allemaal vervaardigd van allesbehalve het lelijke synthetische materiaal waar haar kleren van zijn gemaakt. Julia's oog valt op een springende vrouw in een pak dat ze alleen van mannen kent.

De broek is van boven smal en van onderen wijd en valt soepel langs de lange benen; het jasje is van dezelfde stof in wollig wit met een donkergrijze print die erin geweven lijkt. *Tailleur-pantalon en tweed de Yves Saint Laurent*, leest ze eronder. De prijs in francs zegt haar niets, maar ze vermoedt dat het net zo duur als elegant is. Ze loopt naar de staande spiegel in de hoek achter de kast en houdt het tijdschrift voor zich. Net wanneer ze in gedachten Alexanders blik ziet als hij haar in dit pak op hem af ziet lopen, verschijnt haar vader in de spiegel.

'Hé,' ze draait zich om, 'ik hoorde je niet binnenkomen.'

Hij steekt haar een smalle witte envelop toe. 'Er is post voor je.'

'Post?' Julia laat het tijdschrift vallen en grist de brief uit haar vaders hand. Ze herkent onmiddellijk het handschrift. Haar adem hapert. Een brief hoorde niet bij het plan. 'Wacht.' Laurent wil de kamer uit lopen, maar ze houdt hem met een hand op zijn arm tegen.

Haar handen trillen zo dat ze de envelop niet open krijgt. Haar vader pakt hem zachtjes uit haar handen en scheurt hem open. 'Hier.'

Julia's ogen schieten over het papier. Het doorgaans zo pietepeuterige handschrift krult zich in vreemde, perfecte hanenpoten. Ze lijken het grootst bij juist de woorden die Julia's longen vacuüm zuigen. Ze opent haar mond om adem te halen, maar haar borst gaat niet omhoog; het is net of er een steen op rust die met elke zin die ze leest zwaarder wordt. Bij de laatste zin beginnen de letters te dansen, hanenpoten verstrengelen zich en vanuit haar ooghoeken dringt een zwarte mist haar gezichtsveld binnen. Ze ziet nog net dat het streepje in de A ook een zwierige krul heeft gekregen –

Oost-Berlijn, oktober 1990, Knaackstraße

'Ze kwamen met z'n drieën. Drie mannen in burger. Ik zag meteen dat het agenten waren. Hun gezicht keek onverschillig, maar hun ogen fonkelden van zelfgenoegzaamheid.'

Alexander heeft Julia's handen losgelaten en pakt zijn glas met beide handen. Zijn knokkels worden wit. Julia steekt een sigaret aan en gooit de aansteker op tafel. Haar longen vullen zich zo snel met rook dat haar keel protesteert alsof er een cactus door haar strot wordt geduwd. Ze hoest en zou willen vloeken, en met een driftig gebaar drukt ze haar sigaret weer uit. Ze wil helemaal niet. Iedere vezel in haar lichaam verzet zich tegen de woorden die uit Alexanders mond dreigen te rollen.

Maar ze trekken zich er niets van aan. Ze rollen over haar heen en sleuren haar mee in een verleden waarin haar heden wegzakt als in een moeras.

De agenten zonder uniform vermeden het Alexander aan te kijken. Twee van de drie althans. Een stond tegen de reling geleund, een sigaret in de hand, en keek Alexander recht aan. Het waren de twee vlak voor zijn neus die zijn blik ontweken. In plaats daarvan keken ze langs hem heen, de flat in. Alsof ze iets zochten. Of iemand. Terwijl ze die niet zouden vinden, dat wisten ze. Daarom stonden ze voor zijn deur.

'Alexander Scholl?'

'Ja.'

'Mogen we binnenkomen?'

Weer zo'n overbodige vraag, al bleven ze voor de vorm staan wachten tot Alexander een pas opzij deed. Nummer drie gooide zijn sigaret op de grond en volgde zijn twee collega's, die duidelijk jonger waren dan hij. In het voorbijgaan liet hij Alexanders blik niet los. Hij won.

In de woonkamer deed de oudste van de twee jonge agenten het woord. Senior ging zwijgend op de bank zitten, zijn ellebogen op de knieën, zijn ondoorgrondelijke blik gericht op Alexander. Alexander staarde zo strak mogelijk terug, terwijl hij ontkennend zijn hoofd schudde op de vraag of hij wist waar Julia was. Ze konden hem niets maken, er was niets hier in huis dat nog aan haar herinnerde, daar hadden ze wel voor gezorgd.

'Misschien kan dit uw geheugen opfrissen.'

Een ongemakkelijke stilte volgde op de klap die de foto's op het glas van de salontafel maakten. Het waren er een stuk of tien. Alexander hoefde ze niet te zien om te weten wat erop stond. Hij herkende Julia's sjaal al van ver, haar dikke zwarte haar over zijn schouder. Hij wilde vragen hoe ze aan die foto's kwamen, maar wist dat ze geen antwoord zouden geven. Hij gunde ze de kick van het zwijgen niet. Hij voelde haarfijn aan wie hij tegenover zich had, in elk geval bij die twee jongsten: jochies waren het, die het bijna in hun broek deden van opwinding dat ze hem, Alexander de Grote, in de houdgreep hadden. Hij perste zijn lippen op elkaar en zette zijn meest arrogante blik op.

'Uw vriendin, of moet ik zeggen uw verloofde, heeft getracht onze republiek te ontvluchten,' zei de kleinste van de twee. Alexander moest zich bedwingen zijn vuist niet met volle kracht tegen die weke kin te slaan. Hij kneep zijn ogen tot spleetjes terwijl hij de jongen strak bleef aankijken. Hij strengelde zijn vingers achter zijn rug in elkaar, kneep ze tot het pijn deed en toen nog wat steviger. Julia was dus weg. Was het haar gelukt?

'Julia is niet mijn verloofde.'

'Nou,' smaalde de ander, 'wij hebben anders vernomen. Er ontbreekt alleen nog een ring, is het niet?'

Alexander was te verbijsterd om iets uit te brengen. Ze hadden niet alleen gekeken, ze hadden ook geluisterd. Hij voelde zich naakt en klein, een gewaarwording die hij niet eens kende van toen hij nog klein was, of naakt.

'Kom, kom, jullie zijn nooit uit elkaar gegaan.' Senior leunde achterover en sloeg zijn ene been over het andere. Zijn stem klonk vriendelijk. Nu ontspanden ook zijn grijze ogen en zijn dunne mond, die warempel in een glimlach krulde. 'Daarover hoeft u niet te liegen, meneer Scholl, dat is geen misdaad. Wat het verdacht maakt, is het feit dat u erover liegt. Dat zet ons aan het denken. En dan doet uw verloofde een poging te vluchten – tja, dat zet ons nog meer aan het denken. Want mensen die gaan trouwen, doen dat doorgaans niet op afstand. Wel, meneer Scholl?'

Alexander zweeg. De vraag die door zijn keel was geglipt en nu op zijn dichtgeknepen lippen lag, was de vraag die hij niet mocht stellen. Waar is Julia? Hij zou er alles mee verpesten, en hij wist niet wat er nog verpest kon worden. Was ze al gevlucht en bluften deze heren? Of hadden ze haar opgepakt en uitgehoord, wisten ze van zijn plannen?

'Wel, meneer Scholl, ik wacht nog steeds op antwoord.'

'Wat is de vraag?' Zijn stem trilde hinderlijk.

'Of u net als uw verloofde van plan was te vluchten.' Senior schoof zijn vingers in elkaar en liet ze rustig een voor een knakken. Het geluid ketste tegen de roerloze stilte in de kamer.

Alexander had geen idee wat te zeggen, wat te doen. Dit scenario hadden ze niet voorzien. Hij realiseerde zich nu pas hoe naïef dat was. Woorden vlogen als losse flodders door zijn hoofd en zijn eigen woonkamer zag er plots uit als het decor van een toneelstuk waarin hij een onduidelijke rol als figurant had gekregen.

'Wel, meneer Scholl, als u tegen ons niets wilt zeggen, dan is dat uw goed recht. Maar dan is het ons goed recht u mee te nemen, dat zult u begrijpen.' Het opstaan van senior was een teken voor de twee jongsten om toe te snellen en zich ieder aan een kant van Alexander op te stellen. 'Wellicht kunnen we iemand vinden tegen wie u wel iets wilt zeggen.'

Julia staart naar zijn gezicht. Iets moet er te vinden zijn, een frons, een rimpel, een opgekrulde mondhoek, iets wat verraadt dat hij liegt, of een grap maakt, een slechte grap. Van alle verklaringen die ze destijds heeft bedacht, was er niet een die leek op deze. Het is als een medicijn voor een ziekte die haar al heeft geveld. Alexander wendt zijn blik af van het raam en kijkt haar aan. Haar huid lijkt een tel los te laten van haar lichaam. Ze zou haar hand willen uitstrekken en de leegheid van zijn gezicht willen vegen. In plaats daarvan valt haar hand op haar blikje en ze omklemt het stevig. Ze peutert er een sigaret uit.

'En toen?'

Geen handboeien, geen politieauto, niets. Voor de buitenwereld waren het gewoon drie vrienden met wie Alexander de flat uit liep, in de richting van een loodgrijze Trabant die op de parkeerplaats stond. Op de galerij kwamen ze Hans tegen, de buurman. Die knikte en keek toen weer voor zich. Alexander had willen schreeuwen dat het niet was wat het leek, dat hij de politie moest bellen. Maar de politie was er al, en hield zijn arm stevig vast.

Het bureau waar ze hem naartoe brachten, zag eruit als een normaal kantoor. De stenen pui had getraliede ramen, maar dat hadden zo veel kantoren in Berlijn. Ook binnen duidde niets op de aanwezigheid van cellen of wapens, zelfs niet van politieagenten. Alexander werd in een kamer op een stoel gezet tegenover een leeg bureau. De deur ging dicht, maar niet op slot. Hij keek om zich heen en zag niets dan muur. Vale bruine muren met vochtige kringen en loslatende plinten. Het rook er net zo muf als de muren eruitzagen. Hij keek omhoog en zag een raam dat te smal en te hoog was om erdoorheen te klimmen. Waarom zou hij ook, hij had niets verkeerds gedaan. Nog niet.

'Toen pas kwam de gedachte in me op dat je weleens gelijk kon hebben gehad.'

'Waarover?'

Alexander strijkt met een duim over de knopen van zijn manchet. Het zijn er vier, van het soort kunststof dat de goedkope afkomst van het pak verraadt. 'Over alles.'

Na wat een eeuwigheid leek kwamen de twee junioren weer binnen. Zonder hem aan te kijken gingen ze ieder aan een kant van zijn stoel staan.

'Opstaan alstublieft.'

De beleefdheid was spottend bedoeld. Alexander voelde dat zijn armen met zachte dwang achter zijn rug werden getrokken. Het koude staal van handboeien sloot zich rond zijn polsen. Door een achterdeur werd hij naar buiten geleid, naar een ommuurd plein achter het gebouw, waar drie identieke busjes stonden. Op de flanken was in gekleurde letters FRUIT & GROENTE geschilderd. Busjes zoals hij dagelijks door de stad zag rijden, en zou zien rijden, alleen zou hij nooit meer denken dat ze fruit en groente vervoeren. Achter in het busje waar hij met zachte dwang in werd gedirigeerd, zaten drie metalen deurtjes, zo hoog als het busje laag was. Tussen de deurtjes hing een uitklapbare houten plank, die op zithoogte was bevestigd. Achter elk van de metalen deuren zat een minieme cel met eenzelfde uitklapbare houten plank. De cel waar hij in werd geduwd was niet groter dan een bij een halve meter. Hij moest bukken om zijn hoofd niet te stoten en zijn lijf haast dubbelvouwen om te kunnen zitten. De deur ging met een klap dicht en op slot, Alexander hoorde de sleutel twee keer in het slot draaien. Even later hoorde hij dat de motor startte en het busje zich in beweging zette, de straat op. Hij kon niet zien waarheen, er was geen raam, alleen een schel licht dat warm op zijn voorhoofd scheen.

Ze reden, lang, en hard. Alexander klapte een paar keer met zijn hoofd tegen het dak van het busje en kreeg jeuk aan zijn benen van zijn dubbelgevouwen houding. Hij kon niet op zijn horloge kijken, maar vermoedde dat er zeker een uur verstreek eer het busje afremde en met een scherpe bocht een stoep op leek te draaien. Hij sloeg met een bons tegen de wand. Ze stonden al zeker een kwartier stil voor de deur openging en een mannenstem naar hem brulde.

'Uitstappen.'

Het busje stond in een soort overdekte garage waar alle besef van plaats of tijd was buitengesloten door een dubbele ijzeren deur die zelfs geen flinterdunne strook daglicht binnenliet. Door een nieuwe, nog jonge agent werd Alexander enigszins gelaten aan zijn arm genomen en een stenen trappetje op geleid, waar bovenaan een man in uniform stond met zijn armen op de rug, zijn borst vooruit.

'Zo, onze grote atleet.'

Zijn stem droop van spot. Alexander keek hem aan, maar de

man negeerde zijn onuitgesproken vragen. Hij draaide zich om en liep met zware passen een lange gang in. Alexander volgde, onder dwang van de jonge agent, wiens blik hij vergeefs probeerde te vangen. De jongen keek strak voor zich uit, op een trillende mondhoek na stoïcijns, zonder acht te slaan op de stalen deuren waar ze langs liepen. Het waren er tientallen, aan beide zijden van de bedompte gang. Ze hadden allemaal op ooghoogte een gesloten klepje met hecht traliewerk ervoor. Alexander voelde zich misselijk worden. Het dunne zeil onder zijn voeten veerde zompig onder zijn voetstappen; het was het enige geluid in de gang, waar verder een doodse stilte hing, alsof hij de enige gevangene was in dit kille complex dat god weet waar lag. Eén gevangene met heel veel bewakers. Een weemakende lucht van bedorven water en oud zweet drong zijn neus binnen.

'Zo.' De man stopte en draaide zich om, zijn hakken klakten tegen elkaar. Hij stond voor de enige deur in de gang die open was. Alexander keek naar binnen en zag een smalle kale ruimte, misschien twee meter breed, drie meter lang, met een klein raam in de achtermuur. Het raam was van grijs glas, zo dik dat er een zweem van daglicht doorheen te zien was, verder niets wat op buiten leek. Iets lichter grijs waren de effen betonnen muren. Een houten bed stond tegen de wand. Erop lagen een matras, een kussen en een opgevouwen dunne deken. Aan het voeteneind stond een wc zonder bril. Daarachter een wastafel met een spiegelloos kastje erboven. Alexander keek naar de cel zonder te beseffen dat het de zijne zou worden. Hij was te verbluft om weerstand te bieden tegen de twee handen die hem zachtjes over de drempel duwden. Achter hem ging de zware deur dicht met een klap die nog lang nadreunde in de ijzige eenzaamheid. Pas vijf dagen later zou de deur weer opengaan.

'Zo lang?' Julia's stem klinkt schor. Haar beide handen grijpen het tafelblad vast. Ze zou zweren dat de grond onder haar opensplijt en ze met stoel en al zal vallen als ze zich niet vasthoudt.

Alexander trekt een verontrustende grimas. 'De eerste week hebben ze me er maar één keer uitgehaald. Voor verhoor. De rest van de dagen zat ik daar, niet wetende wat nu, waar ik was, of wat ze tegen me konden gebruiken. Wat mijn rechten waren. Ik werd gek. Verloor elk besef van tijd. De felle lampen aan het plafond, die waren vreselijk. Ze brandden door je oogleden alsof ze ontworpen waren om je alle duisternis te ontnemen. Het is het meest intieme wat je hebt, weet je dat? Ze kunnen je opsluiten, verhoren, afluisteren, slaan, schoppen, maar je hebt altijd duisternis. Je eigen duisternis, dat wat je ziet als je je ogen sluit. Niets. Bevrijdend niets. Zelfs dat pakten ze af.'

Julia sluit ongewild haar ogen. Een duisternis die ze lang, heel lang niet heeft gezien.

'Ze waren altijd aan, de lampen,' gaat Alexander verder. 'Dag en nacht. Opdat je niet sliep. En als je wel sliep, sloegen ze met hun duimstok tegen je deur als je niet op je rug lag met je handen boven het laken. Staal op staal, alsof de oorlog uitbreekt.'

Het laatste slokje koffie is lauw en zuur. Julia snakt naar water. Ze draait zich om naar de bar, waar het meisje glazen spoelt met een blik die zich niet laat vangen.

'Het ergste...' – Alexanders stem daalt een octaaf – '... het ergste was de onwetendheid. Het niet weten waar jij was. Of je nog leefde. Of ze jou ook vasthielden. Af en toe hoorde ik een vrouw gillen, en dan dacht ik dat jij het was. En dan was ik bang en blij tegelijkertijd. Het was het enige menselijke geluid in mijn cel. De bewakers zeiden alleen: meekomen, of naar binnen. En dat klonk verre van menselijk.'

Ze sluit nogmaals haar ogen. Maar het helpt niet. Het is

Alexanders stem, zijn verleden, maar ze dringen onverbiddelijk het hare binnen.

'Op een dag moest ik naar een tweepersoonscel.' Hij grinnikt schamper. 'Ik was lang genoeg als een prins behandeld, zeiden ze. Ik was zielsgelukkig.'

De man met wie Alexander een cel moest delen, was een jonge vent. Dieter. Een kind van negentien, in een grotemannenlijf. Alexander had direct met hem te doen, zeker toen hij begon te vertellen. De jongen was aangehouden toen hij met zijn zus, moeder en vader zijn grootmoeder in Oost-Berlijn kwam opzoeken. Hij woonde niet eens in Oost, had er nooit gewoond. Pas na vijf dagen kreeg hij zijn eerste verhoor. Hij was opgepakt omdat zijn vader een westerse spion was, zeiden ze. Ze hadden bewijs. Een of andere onduidelijke verklaring van zijn moeder die nergens op sloeg. Hij hoefde alleen maar zijn handtekening eronder te zetten en hij mocht weer weg, ophoepelen naar West. Hij weigerde. Hij kreeg vijf jaar en hoopte nog steeds dat hij zou worden vrijgekocht, zodat hij kon trouwen met zijn vriendinnetje, dat aan de andere kant op hem wachtte.

'Hoe wist hij dat ze wachtte?'

Alexander kijkt verward op uit zijn verhaal.

'Dat vriendinnetje,' verduidelijkt Julia. 'Hoe wist die Dieter zo zeker dat ze op hem wachtte?' Haar stem klinkt killer dan ze wil en ze weet waarom.

'Dat wist hij niet. We kregen niet bepaald toestemming om met het thuisfront te communiceren.' Alexander legt zijn handen op tafel en kijkt ernaar.

Zijn vingers zijn kort en breed, zoals ze altijd waren. Met een plotse huivering herinnert Julia's huid zich hun warmte, hun zachte toppen die precies de goede druk konden zetten.

'Maar,' vervolgt hij peinzend, 'het is maar zeer de vraag of er wel een vriendinnetje was aan de andere kant.'

Dieter vertelde verhalen. Hij vertelde dat hij al tweeënhalf jaar zat en in die tijd velen had zien komen en gaan, vele schrijnende voorbeelden van de chantagepraktijken waartoe de Stasi in staat was. Eén verhaal zou Alexander altijd bijblijven. Een man en een vrouw waren afzonderlijk van elkaar opgepakt. Hij van de straat, zij van haar werk. Ze werden apart vastgezet, hij bij Dieter, zij alleen. Haar legden ze een verklaring voor waarin stond dat haar man spioneerde voor het Westen. Ze hoefde alleen maar te ondertekenen. Toen ze weigerde, vroegen ze haar of ze wist waar hun kinderen waren. Ze hadden een peuter en een baby. Natuurlijk wist ze dat niet, ze zat al dagen vast. Als ze niet zou ondertekenen, zeiden ze, zou ze dat ook nooit meer weten. Ze weigerde; ze kon haar man niet verraden voor iets wat hij niet had gedaan. Waarschijnlijk hebben ze hun kinderen nooit meer gezien.

'Hoezo nooit meer gezien? Wat hebben ze er dan mee gedaan?'

Alexander maakt een gissend gebaar. 'Wie zal het zeggen. Het zullen de eerste kindjes niet zijn die werden omgedoopt en ondergebracht in een weeshuis, of bij nette socialistische ouders die zelf geen kinderen konden krijgen. Zie die nog maar eens op te sporen.' Hij kijkt haar aan. 'Mensen die niet weten dat ze gezocht worden, zijn moeilijk te vinden, zeker als je in de DDR woont.'

Julia slaat haar ogen neer.

'Het spijt me.'

Ze kijkt weer op, in Alexanders niet-begrijpende ogen.

'Wat spijt je?'

'Dit. Alles.' Julia kijkt naar buiten, weg van het schuldgevoel dat over haar schouders naar haar keel kruipt. Achter het groezelige raam aan de overkant van de straat duikt net een schaduw met een wit hemd weg. SOZIALISMUS FÜR IMMER staat in roodgeverfde blokletters op de gevel onder het raam, in de 'o' is met zwart een driepoot geverfd.

'Nee.' Vlug pakt Alexander haar handen in zijn grote vuisten. Ze zou erin willen wegkruipen, helemaal, als een vogeltje in de kom van zijn hand. 'Het was ons plan, net zozeer van mij als van jou. Wie kon bovendien weten dat de Stasi hiertoe in staat was?'

'Ik. Ze waren ook in staat een kogel door mijn zus te jagen.' Het doet Julia goed het zo scherp te zeggen dat Alexander ineenkrimpt. Ze trekt haar handen onder de zijne vandaan, boos omdat hij nu geen weerwoord meer geeft. In plaats daarvan kijkt hij haar aan met ogen vervuld van een onuitstaanbaar medelijden.

Het barmeisje komt vragen of ze nog wat willen bestellen. Julia voelt hoe leeg haar maag is. Ze bestelt een gin. 'Een dubbele.'

Na een paar dagen met Dieter in de cel werd de deur ontgrendeld.

'Meekomen,' gebaarde de agent naar Alexander.

Alexander knikte kort naar zijn celgenoot en nieuwe vriend. Die stak hem zijn hand toe, maar Alexander wuifde hem weg. 'Tot zo,' glimlachte hij.

De twee zouden elkaar nooit meer zien, maar op dat moment wist Alexander niet beter dan dat hij voor een zoveelste verhoor werd opgehaald. Opnieuw de vragen waar Julia was, wanneer hij wilde vluchten, en wie ze nog meer hadden betrokken in hun antisocialistische plannen. Dat deze dag een andere was, vermoedde hij al voorzichtig bij het binnentreden van de verhoorkamer. Achter het bureau zat zoals gewoonlijk de man met de zwarte snor die hem al uren achtereen had ondervraagd, tot tergende stiltes aan toe, waarbij de man onophoudelijk zijn linkeroorlel kneedde terwijl hij zijn ravenogen niet van Alexander haalde. Maar naast het bureau zag hij opeens een bekend gezicht uit wat al haast een vorig leven leek, zo normaal en op een pijnlijke manier vertrouwd. De coach. Zodra deze hem in het vizier kreeg, stond hij op om met beide handen de zijne te schudden.

'Alexander,' zei hij met een vreemd opgewekte stem, 'dat doet me goed.'

Of Alexander het ook goed vond hem te zien, wist hij niet zeker. Zoals hij niets meer zeker wist.

'U houdt van koffie, is het niet?' De Snor keek hem vragend aan. Alexander knikte aarzelend, en kreeg een dampende kop echte koffie.

Toen stak de Snor van wal. De coach kwam hem halen. Ze konden Alexander de Grote niet missen. En, zo had de coach hun verzekerd, in Alexander stak geen enkel kwaad. Een goede kameraad, dat wist de coach zeker. Die Julia was alleen vertrokken, daar kon Alexander niets aan doen. Hij had altijd al zijn twijfels gehad over die meid. Maar ja, zo'n knap ding hè, moeilijk te weerstaan. Alexander keek verbaasd naar de coach, maar die keek naar zijn handen.

Er was, ging de Snor verder, over een week een belangrijk toernooi in het Olympia – dat is in West-Berlijn, voegde hij er behulpzaam aan toe. Alexander hield zijn blik strak op de coach gericht, er half van overtuigd dat zijn wilskracht hem kon dwingen op te kijken en uit te leggen wat hier aan de hand was. Zijn hersenen werkten razendsnel. Het enige toernooi in West-Berlijn dat hij kon bedenken, was een voorronde voor de Olympische Zomerspelen het jaar erop, een wedstrijd die de 8ste zou plaatsvinden, wat zou betekenen dat hij nog geen twee weken in deze hel zat. Hij begreep alleen niet wat hij daarmee te maken had, want voor de zomerspelen zou hij met zijn niveau nooit worden geplaatst, laat staan voor de voorrondes. De coach keek niet op of om.

De coach, ging de Snor onverstoord verder, had er bij hen op aangedrongen dat Alexander daarbij moest zijn om 's lands eer te verdedigen. Dus, besloot de man grootmoediger dan Alexander hem in al die weken had gehoord, ze lieten hem vrij. Gebrek aan bewijs, en gezien de verklaring van de coach zou bewijs ook niet licht komen. Hij mocht gaan, het land had hem nodig. En als het land hem nodig had, dan mocht hij als goede kameraad niet verzaken, wel? Zijn eigendommen lagen al in de auto, de coach zou met hem meerijden.

Op dat moment stond de coach op met een blik waarin alles besloten lag, maar Alexander wist het al. Ze hadden Julia niet. Maar ze wilden haar wel hebben. Daarom hadden ze Dieter ingezet, om hem bang te maken met gruwelijke verhalen – o, ze zijn waar, er is geen haar meer op zijn hoofd die daar nu nog aan twijfelt, maar destijds dienden ze vooral om Alexander te intimideren, zodat hij zich geen domme dingen in het hoofd zou halen, en toch vooral met de coach mee zou gaan naar die wedstrijd. Want ze wisten van hun plan. Ze wisten dat zodra Julia in West was, hij de eerste de beste wedstrijd in West zou benutten om ook te vluchten. Hij zag het in de ogen van de coach die hem ontweken. O ja, hij moest mee om 's lands eer te verdedigen. Maar niet als sportman. Als levend lokaas moest hij dienen, voor bewijs, voor Julia. Ze dachten misschien dat hij zo slim niet was om dat te bedenken, of dat ze hem zo in de tang hadden dat hij toch niet kon verhinderen dat ze hun sluwe plan ten uitvoer zouden brengen. Maar Alexander, die gedwee opstond en achter de coach aan naar buiten liep, de vrijheid tegemoet die nooit meer dezelfde zou zijn, wist al wat hem te doen stond.

Het was het eerste wat hij deed toen hij thuiskwam. Hij ging achter zijn bureau zitten en pakte een vel papier. De woorden had hij achter de geblindeerde ramen van de auto al gerepeteerd. Toch moest hij vijf keer opnieuw beginnen.

'Het was lastig' – Alexander klemt beide handen om zijn lege bierpul – 'om een brief zo vol leugens te schrijven zonder ongeloofwaardig te worden. Maar ik moest wel, snap je?' Julia staart, niet in staat te knipperen of te knikken.

West-Berlijn, augustus 1979, Bernauer Straße

'Wat?' Haar eigen stem klinkt als die van iemand anders.

Het gezicht tegenover haar wordt zo bleek als de de badkamertegels erachter. De hand in de lucht wappert nogmaals met het staafje. Het gezicht kijkt er een tel naar en dan steekt de hand het in de richting van Julia.

'Je bent zwanger.'

Tien minuten eerder kon Julia aan niets anders denken dan aan de dood. Niet dat ze er een einde aan wilde maken; het was meer alsof haar leven uit zichzelf was gestopt. Ze leefde alleen nog, een onvolkomenheid van het lot die maakte dat ze verdwaasd wakker was geworden op de grond in Margots werkkamer en een bezorgde Laurent over zich heen gebogen zag staan.

Ze had het kunnen weten. Op dromen staat straf. En hoe vastomlijnder je dromen, hoe wreder de kastijding. Güdruns straf was zo snel gekomen als haar dromen impulsief waren geweest. Zij was jong en verliefd geweest, op een jongen met een sjaal om zijn nek, op de gedachte aan een gebleekte Levi's waarin haar benen eindelijk tot hun recht konden komen, aan een winkel waar ze binnen kon lopen om bessenrode nagellak te kopen. Eén schot, misschien twee, en klaar was haar leven, trefzeker afgetikt op achttien jaar. Maar Julia, Julia had zo lang gewacht dat hoop haar dromen had vetgemest, met een lindeboom en studie en Parijs, een hoop die zo ijdel was als de gedachte dat zo'n leven haar onvervreemdbaar recht was.

Dit was nu haar straf. Vermomd als een brief, in werkelijkheid een monster dat bezit nam van haar lichaam en alle illusie uit haar aderen zoog. Ze bleef achter als een bedwelmd schaap in een abattoir.

Ze liet zich door Margot de badkamer in leiden en op de toiletbril zetten. Julia kon zich er niet eens toe bewegen haar onderbroek naar beneden te stropen, ook daar had ze de vrouw van haar vader voor nodig. Ja, het is eigenlijk alleen aan Margots kordaatheid te danken dat ze nu weer aan het tegenovergestelde kan denken. Maar zo te zien stemt dat haar stiefmoeder stukken minder optimistisch.

'Wanneer was je voor het laatst ongesteld, zei je?' Ze vraagt het zakelijk, alsof ze aan de huishoudster vraagt wanneer ze voor het laatst heeft gestofzuigd.

'Een week of vijf geleden.' Julia's hart klopt in haar keel. Vijf weken geleden was ze nog bij Alexander. Vier weken geleden nog. Drie weken en twee dagen geleden. Een haastige vrijpartij, met haar billen in de rulle modder van de oever. Hij had ze schoongeveegd met zijn T-shirt.

Margot drukt resoluut haar voet op de pedaalemmer en werpt het staafje weg. 'Mooi. Dan is het nog niet te laat.'

'Te laat?' Julia's billen beginnen koud te worden op de toiletbril, maar ze krijgt haar lijf niet in beweging.

Margot draait zich half om op de badrand en kijkt Julia nu pas recht aan. Haar blik snijdt dwars door de vale brillenglazen heen.

De lucht blaast haar ogen nat. Julia zou willen rennen. Door de straten van West-Berlijn vol met auto's, met klingelende trams, met geluid en dampende lichamen. Het hare wurmt zich er langzaam doorheen, de ene voet voor de andere, geen idee waarheen, maar ze loopt, als een zombie door de dikke hitte.

Ze loopt een kind omver dat begint te blèren, wandelt over zebrapaden waar auto's met piepende remmen voor stoppen, stoot tegen een oude man die verbaasd zijn rug recht, maar ze heeft geen tijd voor tekst en uitleg, of voor sorry. Ze heeft haast. Ze zou willen vliegen, dwars tussen de mensen door, die in groteren getale op straat zijn dan zij gewend is. Ze steekt hoeken om en straten over, haar richtingsgevoel laat haar niet in de steek, ze ziet de tv-toren al, fier en onverstoorbaar priemt het onsocialistisch staaltje techniek de lucht in.

Julia slaat een laatste hoek om en stopt; ze kan niet verder. Haar jurk plakt aan haar lijf. Voor haar doemt een stenen horizon op aan de andere kant van de straat. Of eigenlijk dwars door de straat. De Muur doorklieft de Bernauer Straße alsof de bliksem is ingeslagen en een krater de grond heeft doen splijten. Het is maar moeilijk voor te stellen dat mensenhanden deze lijn hebben getekend, eerst op een stadsplattegrond, later, op een bewolkte zondag in augustus waarop iedereen verbaasd wakker werd in een stad die zich langzaam om hen heen sloot, met prikkeldraad. Drie lagen prikkeldraad waar mensen onderdoor renden, sommigen bleven haken met hun trui achter de prikkels, een ander droeg een werktas vol boeken. Behalve hier in de Bernauer Straße. Hier was geen prikkeldraad nodig. Hier ging de grens dwars door de huizen. Alsof ze hebben willen benadrukken dat ze niets ontzien, geen buren, geen gezinnen, geen families, want het systeem is boven alle banaliteit van het individu verheven. Julia heeft de plek nooit van dichtbij gezien, maar ze kent van Güdrun het verhaal van de oude vrouw die hier haar kat van drie hoog naar beneden gooide en toen zelf uit het raam wilde klimmen. Haar benen bungelden over de vensterbank in West, maar haar armen in Oost, waar de grenspolitie met man en macht aan haar oude polsen trok. Güdrun vertelde dat ze de vrouw op een gegeven moment hebben moeten loslaten, maar in Julia's verbeelding is ze daar altijd blijven hangen, getweeëndeeld tussen Oost en West. Zelfs toen de ramen in de huizen later werden dichtgemetseld, en ook nog toen de huizen nog weer later met de grond gelijk werden gemaakt om ruimte te maken voor de dodenstrook.

Een weeë golf kolkt door haar darmen naar boven. Haar hand zoekt steun, haar maag zet zich schrap. Een mannenstem vraagt of het gaat. Julia schudt haar hoofd, voelt dat een hand onder haar arm schuift en haar mee leidt naar een bankje. Haar billen knijpen samen op het harde steen, dat koud is door het katoen van haar jurk heen, maar haar maag ontspant, blij met de koelte. Ze kijkt op en ziet het gerimpelde gezicht van een man.

'Moet u hier ergens zijn?' vraagt hij vriendelijk.

Julia staart in twee muisgrijze ogen, die haast niet meer te zien zijn onder de verrimpelde oogleden. Goede vraag. Gisteren wist ze er nog een antwoord op, had ze misschien wel geglimlacht en gezegd dat ze hier zeker moet zijn, dat ze eindelijk op de juiste plek is, in de wereld, en weldra ook in haar leven. Maar vandaag omklemmen haar vingers in de zak van haar jurk een brief die nog geen honderd woorden telt, genoeg om haar de mond te snoeren.

Ze kijkt onwillekeurig langs de man naar de Muur, die is witgeverfd in een schijnbare poging hem onschuldig te doen lijken, half hopend dat Alexander eroverheen klimt om haar lachend in het oor te fluisteren dat het een grap is, de brief, alles – een wrange grap, maar toch: een grap.

De man ziet haar blik en knikt begrijpend. Nu pas ziet ze de pantoffels aan zijn voeten.

‘Aha. Nou, je bent niet de eerste. Kom.’ Hij buigt galant en houdt zijn hand op. Hij lijkt iets van haar te verwachten.

‘Wat bedoelt u?’

‘Kom, er is niets gevaarlijks aan.’

Aarzelend kijkt Julia om zich heen. Een paar passanten lopen langs zonder op te kijken, de ogen gericht op het kapotte asfalt van de stoep, een enkeling met een boodschappentas op wieltjes achter zich aan, een jonge vrouw in een rokje zo kort dat Julia haar ogen er een ogenblik lang niet van af kan wenden.

‘Wees maar gerust. Ze doen het zelf ook.’

‘Wat?’

‘Muurgluren. Sommigen nemen zelfs een fles wijn mee en een verrekijker.’

‘Is dat niet gevaarlijk?’ Julia hoort zelf hoe Oost-Duits haar vraag klinkt en voelt haar wangen warm worden.

Als de man het al merkt, slaat hij er in elk geval geen acht op. Hij schudt zijn hoofd en pakt haar hand. ‘Kom,’ zegt hij, en hij trekt haar omhoog. Dan pas ziet ze waar hij haar naartoe leidt. Een paar meter verderop staat een hoge houten stellage vlak voor de Muur, met een trap en een plat deel waarop twee mensen staan. Ze houden elkaar stevig vast en ze zwaaien, kennelijk naar mensen aan de andere kant.

‘Toe maar,’ zegt de man als ze bij de trap zijn. Voor hij haar loslaat en naar zijn huis aan de overkant van de straat sloft, knikt hij haar eens gemoedelijk toe, alsof ze een kind is dat voor het eerst naar school gaat, en zo voelt ze zich ook.

De twee mensen, een man en een vrouw, zien haar niet eens onder aan de trap staan, zo verdiept zijn ze in elkaar en in hun zwaaien. Ze zien haar pas als ze naar beneden gaan, half lachend, half snikkend, en Julia discreet haar gezicht afwendt.

‘Ach, meisje, waarom sta je hier, er is plaats genoeg voor iedereen daarboven,' roept de vrouw van halverwege de trap. Julia schenkt haar haar vriendelijkste glimlach. Welke woorden kunnen uitleggen dat ze liever wacht tot ze weg zijn, tot het plateau leeg is, omdat haar verdriet zo groot is dat ze gelooft dat er niemand meer bij past? Ze weet niet eens of ze er zelf nog bij past.

Ze wacht tot de mensen uit het zicht zijn.

Ze klimt de trap op.

Ze zet haar voeten op het plateau.

Ze steekt haar handen in de zakken van haar dunne katoenen jurk.

En ze kijkt.

De tv-toren kijkt rustig terug. Haar huid rilt onder de brandende zon en bijna als vanzelf slaat ze haar ogen neer, naar omlaag, naar de grens tussen toen en nu.

Bijna onschuldig ziet hij er nu uit, vanaf Julia's plaats boven op de trap. Alsof je er zo overheen zou kunnen springen. Welbeschouwd, vanaf deze hoogte, is het maar een muur – een stuk steen van een goede drie meter hoog en misschien een centimeter of twintig dik, dat is alles. Nu ze hem van zo dichtbij ziet, dringt de absurde tastbaarheid van het ding tot Julia door. Het is geen abstract begrip, geen groot gevaarlijk staatsbestel dat ogen en oren in de muur stopt en als dik spinrag rond je leven hangt – of ja, dat is het wel, maar alleen dankzij deze muur. Gewoon een muur. Een belachelijk simpele stapel stenen met een zijde, en een andere zijde. Een zijde waar mensen gauw zwaaien voor ze worden weggejaagd door de grenswachters, en een zijde waar mensen wijn meenemen en een verrekijker om te zien naar wie ze zwaaien.

De onneembare dodenstrook ontvouwt zich erachter als een vergeten stuk land aan haar voeten, of land is het eigenlijk niet eens meer, het is een spookgebied dat van alle leven is verstoken en geen deel meer uitmaakt van de aarde, dat geen hoedanigheid meer heeft anders dan een peilloze kloof tussen alles wat gescheiden kan worden, en dat blijkt alles te zijn.

Het had Julia niets verbaasd als het daadwerkelijk een kloof was geweest, als Ulbricht de groene petten allemaal een schop had overhandigd met de opdracht een kuil te graven zo diep dat ze in China uitkwamen. Dan hadden ze ook niet die belachelijk ogende constructies nodig gehad om helden te ontmoedigen. Ze ogen van hieraf bijna klungelig, de drakentanden, het prikkeldraad, de schijnwerpers bedoeld om 's nachts elke millimeter zand aan de duisternis te onttrekken, de wachttorens waarin ze de silhouetten ontwaart van de petten op de hoofden van de grenswachters, die van hieraf net speelgoedpoppetjes lijken, figuranten in een theaterstuk waarvan ze het script niet hebben gelezen. Het is een absurde gedachte dat ze voor hen doodsangsten heeft uitgestaan, twee weken en vier dagen geleden in die anderhalve vierkante meter laadruimte onder de voeten van de bloemenhandelaar. Ze hoorde de herdershonden hijgen, het krakende leer van de laarzen, de tergend langzame tred waarmee ze om de bus heen liepen.

Ze zou er nu om lachen, dat dacht ze toen nog, een schelle lach die de lucht zou doorklieven, een lach die te horen zou zijn tot *daar*. Ze zouden een lange neus trekken naar de drakentanden, naar de schijnwerpers die zich ieder moment naar haar lijken te draaien om haar vol in het licht te zetten, alsof de petten in de wachttorens haar met een welgemikt schot van haar trapje af zouden schieten. Ze zouden hun vinger opsteken naar de Muur, schijt hebben aan het steen dat aan hun kant somber en onverbiddelijk oogde, maar hier bijna vrolijk is.

Maar ze lacht niet.

Ook zonder dat ze over haar huid wrijft, voelt Julia de leegte eronder. Een loden leegte met een flintertje Alexander.

Als je dit leest, ben jij daar en ik hier.

Zijn woorden dreinen, dwars door haar hoofd en dwars door elkaar, alsof Alexander naast haar staat op het plateau, niet om naar Oost te kijken maar naar haar, met zijn brief in twee handen om die van voor naar achter te declameren, opdat zijn negenentachtig en nog wat woorden goed tot haar doordringen.

En hier blijf ik.

Zijn hanenpoten krassen in haar netvlies. Jij daar en ik hier. Julia zoekt in haar geheugen naar Alexanders gezicht, zijn ogen, zijn woorden. Was ze zo bedwelmd, zo blind dat ze niet doorhad dat het voor hem voorgoed was, al die keren dat ze afscheid namen omdat het zomaar de laatste keer kon zijn dat ze naar de oever was gekomen? Of was ze gewoon naïef, net als Güdrun, om te denken dat de afstand naar een toekomst een kwestie van centimeters was?

'Jij kunt geen kind opvoeden, Julia.'

Had ze je of jij gezegd, Margot? Wat doet het ertoe, Julia verstond jij en dat was precies wat ze bedoeld had. Jíj kunt geen kind opvoeden. Iedere andere vrouw kan dat wel, maar jij, Julia, die leugens voor liefde aanziet, jij kunt dat niet. Jij kunt dat niet, omdat je je eigen leven niet eens weet te leiden; je hangt het op aan anderen alsof het om je jas gaat die je afgeeft aan de kelner, en je bent verbaasd als de kelner met een andere jas terugkomt. Ja, kijk nu maar niet zo beteuterd, je weet heel goed waar ik het over heb, dame. Zelfs die partij van jullie, die republiek durf je alleen te ontvluchten aan de hand van een man, waarin je meteen maar je hele lot hebt gelegd. Waar vlucht je dan naartoe? Naar de vrijheid? Laat me niet lachen. Geloof me, meisje, je droomt een droom die je niet past.

Jouw dromen, het waren de mijne niet.

Schreef hij dat om andere woorden niet te hoeven schrijven?

Mooie woorden voor: ik heb je voorgelogen, bedrogen, doen geloven dat ik met je mee zou vluchten, maar ik heb je alleen laten gaan, en nu – nu zit je als een rat in de val van de vrijheid. Je had ook doodgeschoten kunnen worden, dat was misschien nog wel beter geweest, maar je hebt het gered en nu kun je een lindeboom planten en naar Parijs.

Julia maakt vuisten van haar handen op het hout van de trap, haar nagels drukken in haar handpalm, nog een klein stukje en dan doorboren ze haar vlees, scheuren ze haar huid open tot haar bloed begint te stromen en als een golf haar hoofd schoonspoelt.

Je wilde toch vrij zijn? Nou, je bent het.

De stellage lijkt te wankelen onder haar voeten. Julia knijpt haar ogen dicht, klemt haar vingers stevig om het hout. Ze moet zich goed vasthouden. Er is niemand die haar opvangt.

Ze concentreert zich, op het steen, op de dodenstrook en de tramrailsdelen die bij wijze van drakentanden in het zand zijn geduwd. Ze negeert de gedachte aan het zand dat rood kleurt als er iemand op wordt neergeschoten, en onmiddellijk daarop de vertrouwde vraag of en hoe het water rood kleurde toen Güdrun een kogel door haar hoofd kreeg, of door haar hart, of door haar longen – ze zal het nooit zeker weten. Ze had gehoord over een zwemmer die in zijn nek was geraakt door een kogel die er via zijn kin weer uit kwam. Wie zal het zeggen. Güdruns hoofd is verbonden, ongetwijfeld, haar lichaam gebalsemd, haar dood een leugen waar zelfs de schutter in zal geloven, in moet geloven, anders kan hij niet slapen, niet elke dag opnieuw opstaan en naar zijn werk gaan, zijn machinegeweer over zijn schouder, klaar om te schieten op meisjes, jongens, vaders die het niet meer uithielden onder de grijze deken.

‘In West kun je keuzes maken,’ zei Güdrun eens.

'Hoe bedoel je?'

'Precies zoals ik het zeg. Daar kun je kiezen.'

'Tussen wat?'

'Tussen alles. Het wat doet er niet toe. Het gaat om het kiezen.'

Julia dwingt haar blik verder, naar Oost, naar waar het bewoonde Oost begint, het Berlijn dat zij kent. Het ziet er anders uit vanaf hier. De hoge, logge huizen ogen onbeduidend en klein, de schimmige stilte in de straten is onhoorbaar, ze ruikt geen stank, niets van wat ze ziet is bedreigend, geen juk dat haar schouders op scherp zet. Daar, over het steen heen, achter die wachttorens op scherp, daar rond de tv-toren en ver daarachter nog, komt Alexander omstreeks dit tijdstip waarschijnlijk terug van training, neemt een douche, dweilt de badkamer met zijn handdoek en wrijft met zijn vingers de damp van de spiegel. Daar zou zij nu achter hem willen staan om te zien wat hij ziet in de spiegel, om hem te vragen wat er waar is van de brief en wat gelogen, wat de ware leugen is, zijn belofte om te komen of zijn belofte om nooit te komen, om te ruiken of er angstzweet druppelt in zijn nek, om haar of om hen, tegen wie hij gelogen heeft godverdomme, tegen hen of haar of zichzelf of tegen zijn flintertje waarvan hij het bestaan niet weet?

Mijn plaats is hier.

Jouw plaats? Julia zou willen schreeuwen over de Muur heen, over de dodenstrook, over de huizen, over de loden leegte heen. Jouw plaats is hier.

Als ze door de hanenpoten heen Alexanders handschrift niet zou herkennen, zou ze denken dat iemand anders de brief heeft geschreven. Als haar naam er niet in zou staan, zou ze denken dat hij voor iemand anders is bedoeld, per abuis bij haar vader in de bus is beland. Als de laatste zin er niet in zou staan, zou ze onmogelijk geloven dat Alexander achter een schrijfblok is gaan zitten om haar deze woorden te schrijven.

Jouw plaats is daar. Jouw vie en rose.

'Wat zou jij kiezen dan?'

'Dat weet ik dus niet.'

De drukkende hitte maakt zich los van Julia's lichaam. Ze rilt onder haar dunne jurk. Een koude tocht kruipt onder de rok tussen haar benen en plots voelt ze zich naakt, zo hoog in de lucht. Nee, fluistert ze in stilte naar Alexander zonder haar ogen van de tv-toren af te halen, het maakt niet uit of je gelogen hebt of niet. Wie weet heb je dat niet gedaan en bestaat liefde wel, wie zal het zeggen. Het maakt niet uit of liefde wel of niet van leugens is gemaakt; ze kan van tweeën toch niet één maken. Ze maakt van tweeën twee, van één geen. Een flintertje.

'Maar ik zou het willen weten. Ik wil ergens zijn waar ik het zou weten.'

Julia legt haar hand op haar buik, haar weeë buik die al een bolling lijkt te vertonen – ja, als ze goed voelt kan ze met haar hand een heel licht kommetje maken en zit er nog steeds huid onder.

De tv-toren lijkt een zwenk naar achteren te maken in de grijze wind die in West niet waait, alsof hij zijn rug weer recht na eens even onder zich te hebben gekeken, naar de paar skateboarders die Julia in gedachten op het plein ziet tussen de toonloze mannen en vrouwen die zij ook zullen worden, opgezogen en uitgespuugd door de tramslurven in een oneindig ritme, enkel onderbroken door de dag dat ze een datsja mogen betrekken of een langverwachte Trabant mogen ophalen waarna ze voor heel even een stukje meer rechtop zullen lopen, om daags erna weer met afhangende schouders de tram in te stappen die in westelijke richting een doodlopende weg rijdt, en in noordoostelijke richting naar een verzameling betonnen blokken waar de schemering al inzet als de dag de nacht nog maar net heeft meegenomen.

Ze kijkt nog eens goed, ze zou zweren dat ze het ziet.

Boven op zijn lange spitse lichaam draait de tv-toren zijn bol. Van onderaf is het niet zichtbaar, maar wie de lift naar boven neemt en zich tussen de dagjesmensen wurmt voor een plaats aan het raam en daar een halfuur blijft staan, ziet heel Berlijn onder zich voorbijtrekken, de hele helften van de stad, de ene met een Muur eromheen, de andere met ogen in de muur. Julia heeft het nooit gedaan, ze heeft nooit de lichtjes in West willen tellen, zoals Güdrun, nooit willen zwaaien in het niets waar hun vader woont, al wist ze toen nog niet dat hij toch niet keek. Maar ze weet in welke richting de bol draait.

Ze kan het zien, vanaf haar trap. Nee, schudt hij.

Ergens in het Berlijn achter haar slaat een kerkklok. Zes keer, als ze de eerste niet heeft gemist. De zon is nog zo warm alsof het het heetst van de dag is. Op het plein om de hoek bij haar vaders huis zullen de eerste studenten de terrassen in bezit nemen, met hun verschoten leren tassen die eruitzien alsof ze eeuwen kennis met zich meedragen en die in frappant contrast staan met de vettige kuiven boven de rechtopstaande boorden. Julia had al een tafeltje uitgekozen waar ze zouden zitten als Alexander zich bij haar had gevoegd en ze eindelijk kon beginnen met leven, een tafel voor twee tegen de gevel van het drukste café, onder een klimop die een halve schaduw over hun gezichten zou werpen, zodat ze half in de wereld en half in hun eigen wereld zouden zitten, precies zoals ze het zich hadden voorgesteld.

Of zoals zíj het zich had voorgesteld.

Alexander laat zijn brief zakken en zoekt haar blik.

PS Word gelukkig.

Zijn adem stokt. Julia knijpt haar ogen tot spleetjes, waardoor de tv-toren niets meer wordt dan de laatste grijze man die overeind staat. Ze kunnen zwartmaken wat ze willen, Julia kan inmiddels wel raden wat er staat. Kom niet. Kom niet terug om me te halen, kom zaterdag niet naar het Olympia, ik knijp er niet tussenuit, ik blijf, in het land van de grijze heren, van de schemering, ik blijf elke dag opstaan om mijn marionettenpak aan te trekken, elke dag thuiskomen om het weer uit te trekken behalve de touwtjes aan mijn handen, mijn mond, mijn hart. Kom niet. Liefde bestaat niet. Wat er ook staat geschreven, dat staat er. Ze hebben het zwartgemaakt omdat ze willen dat Julia het tegendeel gelooft. Dan kunnen ze haar leven ook aftikken, trefzeker op 23 jaar. En een flintertje.

De stoep onder haar slippers voelt hard.

Julia kijkt naar links. Naar rechts. De straat is leeg. De zon is weg en heeft de mensen meegenomen, hun huizen in, hun keukens, naar hun kinderen, hun thuis. Over de stoep kruipt een scheur van de rand in de richting van de Muur. Julia kan haar ogen er niet van afhouden. Een moment lang is ze tot niets anders in staat dan naar die scheur te staren en zich af te vragen waarom ook in West niemand iets aan de oneindige treurnis van gescheurd asfalt doet. Een hevig verlangen naar een stoep zonder scheur vult haar buik met zo'n wervelende lichtheid dat ze haar handen op haar jurk legt, rond haar navel, die onder haar adem opbolt in de kom van haar handpalmen.

Oost-Berlijn, oktober 1990, Knaackstraße

Dat de leugen zelf een leugen kon zijn, is nooit in Julia opgekomen. Toen niet, later niet, en nog steeds laat haar hoofd maar weinig ruimte voor de gedachte dat er geen woord waar was van de negenentachtig woorden die in de binnenkant van haar schedel leken gekerfd.

Ze kijkt naar buiten. Een poster op een vuilnisbak trekt haar oog. Hij is afgebladderd, een web van verscheurde kleuren. Kleuren die wankelen tussen betekenissen, of helemaal geen woorden meer hebben om zich aan te verbinden.

'De bloemenman.'

Alexander kijkt op. 'Wat is er met de bloemenman?'

'Het is de bloemenman die je verraden moet hebben.'

Alexander knijpt zijn ogen tot spleetjes en tuurt tussen zijn donkere wimpers, zoals hij altijd deed als hij iets niet begreep. Ze kauwt op haar knokkel. Het is onwillig, haar geheugen, in elk geval voor het verhaal dat ze zo lang niet heeft verteld dat het van iemand anders lijkt.

Het was de bloemenhandelaar die met het idee kwam. De oude heer Schulz, met meer rimpels dan gezicht en haar zo wit dat het nep leek. Het was niet nep, wist Julia sinds Güdrun er eens met de verbetenheid van het kind dat ze was aan had getrokken omdat ze ervan overtuigd was dat het een pruik was.

Later, toen Julia wekelijks de bloemenwinkel op de hoek binnenliep, hebben de heer Schulz en zij nog eens gelachen om Güdruns beteuterde gezicht toen het haar bleek vast te zitten aan zijn hoofd.

Enfin, meneer Schulz wist dat Julia weg wilde. Hij was, naast Alexander, de enige met wie ze praatte over het verlangen waar ze mee wakker werd en ging slapen.

'Jezus.' Alexander spert zijn ogen wagenwijd open, alsof hij wakker wordt uit een nachtmerrie.

'Wat?'

'Dat je daar met hem over praatte. Een bloemenhandelaar.' Een driftig gebaar in de lucht. 'Wie weet wat voor contacten hij erop na hield.'

Julia ziet verbaasd hoe een wantrouwende frons over zijn gezicht trekt, een diepe groef in zijn anders zo gladde voorhoofd. Zo schizofreen is de tijd dus die hen scheidt. Lang genoeg om een rimpel te beitelen in de huid van een man die vroeger niets te vrezen had, niets te wantrouwen. Kort genoeg om zijn zorgen om haar in leven te houden, zijn continue beschermingsdrang, die haar nu om onnavolgbare redenen irriteert.

'Niet in de winkel natuurlijk,' verduidelijkt ze. 'Ervoor, op het bankje op de stoep.'

'Hoe wist je dat je hem kon vertrouwen?'

'Niet.' Ze haalt haar schouders op. 'Hoe weet je zoiets?'

Meneer Schulz had groene ogen die haar aan de bruine ogen van haar vader deden denken. Ze hadden in haar herinnering dezelfde vorm: een perfect ovaal, op een knikje na dat de ooghoeken iets naar beneden trok en ze een eindeloze goedheid gaf. Haar geheugen had haar vaders ogen ovaler gemaakt dan ze in werkelijkheid waren. In werkelijkheid hadden ze eerder de vorm van een platte boon, zag ze als eerste toen hij haar later kwam ophalen in Marienfelde. En toch dacht ze iedere keer aan haar vader als ze de winkel binnenstapte en het belletje de oude man uit zijn achterkamer riep. En iedere keer voelde ze de aanvechting op hem af te rennen en in zijn armen te springen, met twee kinderbeentjes om hem heen en haar gezichtje in zijn hals. Even maar, want als de oude Schulz grijnsde won de blijdschap. Blijdschap en een onverklaarbare rust.

Julia kwam één keer per week rozen halen voor Güdrun. Altijd op dinsdag, en altijd een andere kleur. Als ze laat was hield meneer Schulz zijn winkel net zo lang open tot ze kwam, want hij wist dat ze op dinsdag naar het graf fietste. In de locatie en de steen van het graf hadden Julia en haar moeder geen inspraak gehad. Alles was al geregeld. De kist was zelfs al gesloten en ging onder geen beding open. Ze had veel later gehoord over een man die de portier van het mortuarium had omgekocht om de kist van zijn broertje te openen, en zo met eigen ogen had gezien hoe ze de kogelgaten in zijn jonge gezicht hadden dichtgestopt met watten en stevig verband om de kaken hadden getrokken om de boel op zijn plaats te houden. Julia had gewild dat zij zo veel lef had gehad, maar ze was elf en alleen en kon niet meer dan zich brullend op het houten deksel werpen dat lelijk was van soberheid, en bijten naar de handen die haar ervanaf wilden trekken. Ze hadden twee man nodig gehad om haar van de kist te halen en haar moeder had haar verboden nog een woord hardop te zeggen tot haar zus begraven was.

Maar ze konden haar niet verbieden bloemen neer te leggen.

Op een dag – ze woonde net met Alexander in Marzahn – greep de heer Schulz met een geheimzinnig lachje onder de toonbank en legde een in papier gewikkelde bos voor haar neer, terwijl zijn ogen verwachtingsvol haar gezicht afspeurden.

‘Voilà,’ zei hij trots, alsof hij de bloemen eigenhandig had geverfd. ‘Mooi hè?’

Ze knikte ademloos. De rozen waren breekbaar blank met een rood randje dat zich als een fijnmazig bloedvatenstelsel vertakte over de blaadjes en daar met het wit samensmolt tot een ijl roze dat Julia nog het meest aan poeder deed denken, het poeder dat hun moeder vroeger, toen hun vader er nog was, in een doosje bewaarde om elke ochtend met een vinger op haar oogleden te smeren. De stengels waren lang en intens donkergroen, de doornen even elegant als ongenaakbaar.

‘Uit West,’ zei de heer Schulz terwijl hij zijn rug rechtte en zijn handen in de zij zette.

Julia voelde zich warm worden van opwinding. Zonder haar ogen van de rozen af te halen, luisterde ze hoe de heer Schulz vertelde dat hij een reispas voor West had gekregen van enkele partijvrouwen die hem tot hun bloemenhandelaar hadden gebombardeerd. De pas was zijn ticket naar het Westen, waarmee hij naar Hannover reisde om voor hen Hollandse tulpen en Keulse rozen te kopen.

‘Hoe is het daar?’

De oude Schulz legde zijn hand over de hare en glimlachte. Hij wist dat ze niet Hannover bedoelde. In West-Berlijn was alles anders. In West-Berlijn was leven. Dames met hoeden en mannen met kuiven, bolvormige auto’s die eerder flaneerden dan reden. De zon scheen, ook als ze niet scheen. ‘Maar die rozen,’ zou hij later op het bankje buiten op de stoep een keer toevoegen, ‘die komen gewoon uit de DDR, Julia. Vanuit de tuin in Sangerhausen rechtstreeks op transport naar West.’

Maar dat vertelde hij nu allemaal niet, niet in de winkel, waar je nooit wist of er oren in de muur zaten. Nu wikkelde hij zonder te antwoorden het papier terug om de rozen en gaf ze aan Julia. Ze nam ze mee naar huis, zette ze in een vaas op de vensterbank en keek ernaar.

'Uren achtereen,' zegt Alexander met een glimlach die Julia even van haar stuk brengt. 'Alsof ze roken naar vrijheid.'
Ze knikt. Hij weet niet half hoe treffend zijn woorden zijn.

Meneer Schulz nam elke keer als hij uit West kwam een bos rozen voor Julia mee. En verhalen. Over strakke spijkerbroeken. Over hanenkammen en punk. Over de grachten in Amsterdam, waar de importeur in Hannover zijn tulpen haalde. Over een Nederlandse rockzanger die het met Nina Hagen had aangelegd. Vooral naar Nina Hagen, die ook in '55 was geboren en 21 was toen ze de DDR verruilde voor het Westen, vroeg Julia steeds weer.
'Haha,' lachte de heer Schulz eens, 'jij zou haar wel achterna willen, is het niet? Nou, meisje, dan zul je toch eerst een stiefvader moeten hebben die Wolf Biermann heet en die zichzelf zo onmogelijk maakt dat je kunt aansluiten bij zijn publieke aftocht.'
'Maar ja,' antwoordde ze cynisch, 'van Wolf Biermann is er maar een.'
'Van Nina Hagen ook,' zei de oude Schulz, en toen lachte hij geheimzinnig. 'Maar ik heb iets beters voor je.'

Alexander trekt een wenkbrauw op. 'Wat dan?'
'Hij had een bus. Een laadbus waarmee hij zijn bloemen in West haalde. Voorin zat een soort dubbele bodem. Onder de voorbank, pal onder zijn voeten. Hij had hem ontdekt toen de bus een keer stuk was en hij hem naar zijn neef bracht om te laten maken. Die had hem erop gewezen en gegrapt dat er wel een mens in paste, zo groot was de ruimte. Nou, toen is hij op het idee gekomen.'
'Op welk idee?'
'Om me naar West te brengen.'

Nu ze het zo vertelt, lijkt het niet alleen een verhaal van iemand anders, het ís het, een verhaal van een andere Julia. Een Julia wier verleden ze heeft gepikt, en die nu machteloos toeziet hoe het heden er een andere draai aan geeft. Ze steekt een sigaret op. Ergens is het ook wel makkelijk, het verhaal van iemand anders vertellen.

De ruimte bleek een soort kruipruimte waar eigenlijk geen heel mens in paste. 'Jij had er met geen mogelijkheid in gepast,' vertelt Julia. 'Ik paste er maar net in. Alleen als ik tegelijkertijd opgevouwen en plat lag, met mijn hoofd in een rare knik. Het was donker en hard en er was maar een klein gaatje waar lucht doorheen kwam. Maar ik kon niet meer terug.' Ze kon alleen maar denken dat als de bom nu viel, ze nooit meer daglicht zou zien. Julia neemt een lange trek van haar sigaret. 'Zo lang was de rit niet. Er was geen grepo die iets vermoedde. Ze kenden hem bij de grens. Een vriendelijke grijze man op weg naar verse bloemen.'

'Waar heeft hij je naartoe gebracht?'

'Naar Marienfelde.'

'En toen?'

'Toen niets. Ik kreeg een paspoort en ben naar mijn vader gegaan.' Ze slaat haar ogen neer. 'Zoals we hadden afgesproken.'

Alexander kijkt naar het glas in zijn handen. Hij draait het rond en rond tussen zijn vingers.

Julia voelt hoe de lang verzwegen waarheden een nieuwe muur tussen hen bouwen, dik beton en prikkeldraad aan weerszijden waarvan ze zich elk in hun eigen kamp verschansen. Ze kijkt naar zijn voorhoofd, hoe het ineens hoekig afsteekt onder zijn kalende schedel, naar zijn verbeten mond en bedenkt dat ze hem helemaal niet kent, deze man wiens ogen ze elke dag innig liefheeft. Niet meer.

'Ik dacht...' zegt Alexander ten slotte, '... ik dacht altijd dat je de trein naar Hongarije had gepakt en daar ergens de grens over was gegaan.' Hij vermijdt het haar aan te kijken.

'En ik dacht dat je me zou volgen.'

'Voor wat het waard is,' Alexander leegt zijn glas met een ferme slok, 'de bloemenman was het niet.'

'En hoe weet jij dat?'

Alexander haalt zijn schouders op. 'Dat weet ik gewoon. Net zoals jij dat weet.'

'Ik weet niets meer zeker nu.'

'Ik weet het ook niet zeker, maar ik denk niet dat het de bloemenhandelaar was die ons heeft verraden. Het is niet logisch. Als hij het was, dan zou hij ook zijn opgepakt. Bovendien, hij heeft je naar West gebracht, toch? Als hij dat eigenlijk niet wilde, dan had hij je wel ergens anders naartoe gebracht. Je lag onder zijn voeten, hij had je overal kunnen afzetten zonder dat jij er iets van had geweten of er iets tegen had kunnen doen. Je had het pas gezien als je uit je schuilplaats was gekropen en rechtstreeks je cel in had kunnen lopen.'

'Je klinkt alsof je het dom vindt.'

'Wat?'

'Dat ik met hem ben meegegaan.'

'Nou ja,' Alexander lacht een sarcastisch lachje dat hem past als een slecht zittend pak. 'Het had gekund, niet? Genoeg Oost-Duitsers die Oost-Duitsers erin hebben geluisd om hun eigen hachje te redden. Misschien had hij wel een kind dat wilde studeren. Of deed-ie het voor niks.'

'Meneer Schulz had geen kinderen,' bijt ze hem toe. Het gesprek glipt ineens tussen haar vingers door als fijn zand. 'Ik, ik was zijn kind.'

'Aha,' smaalt Alexander, 'en dus vertrouwde je hem als een vader? Want je eigen vader kon je ook zo goed vertrouwen?'

Ze voelt hoe haar blik verstrakt. Hoe de tijd op slag verstilt. Tot niets meer beweegt behalve de vingers waarmee Alexander een bierviltje verpulvert, en haar slapen die bonken, in hetzelfde koortsachtige tempo waarmee haar hersenen zoeken, naar woorden, woorden die op de hoekige schedel van de man voor haar knallen als een zweep op nat leer woorden die hem vertellen dat hij toch werkelijk de laatste man is die kan reppen over vertrouwen haar woorden vergaan in de denderende echo van de zijne ze moet weg terug naar waar naar wie?

Ze moet haar ogen openen.

Ze moet haar ogen openen en haar naam zeggen, welke dag het is en waar ze is.

De stem wordt dringender, de vingers die in haar hals knijpen pijnlijker.

Ze opent haar ogen en knippert. Het licht is zo veel scherper dan de duisternis.

'Je bent flauwgevallen,' zegt het gezicht boven het hare.

Ze knikt zonder haar versufte hoofd op te tillen. Dat moet nog een paar tellen blijven liggen, weet ze. Sinds die eerste keer bij haar vader, een jongensleven geleden, lijkt ze van flauwvallen een gewoonte te hebben gemaakt. Meestal voelt ze het wel aankomen, aan de tintelingen onder haar huid en haar hersenen die zwaar worden alsof iemand een helm op haar hoofd heeft gezet en de gesp langzaam strak trekt. Maar nu liet haar lichaam haar in de steek. Nu ligt haar lichaam tussen een stoel en tafelpoot op een hardstenen vloer die ijzig koud aan het worden is.

Twee handen onder haar oksels tillen haar kalm en sterk omhoog, tot ze haar hakken onder haar hielen voelt. Zijn vingers vegen haar ogen droog tot ze weer scherp ziet. Zijn adem is warm en ruikt naar een lome middag aan de Spree. Dan laat hij abrupt haar gezicht los en doet een stap achteruit. Een kille tocht scheert langs haar schouderbladen.

'Het spijt me,' zegt zijn stem.

Het water stroomt koel over haar polsen. Julia wrijft over de fijne paarse adertjes en voelt de spieren in haar onderarmen langzaam week worden, hoe haar schouders de spanning laten vieren. Dan pas kijkt ze op.

Haar ogen zijn fel. Het tl-licht boven de spiegel steekt er zwakjes bij af. Een moment lang staart ze naar zichzelf, en probeert ze zichzelf toe te lachen. Maar haar ogen zeggen niets, geven niets, ze blikken alleen terug. Ze kent die ogen. Toen Olivier net geboren was, staarden ze haar aan vanuit elke spiegel waar ze in keek, dezelfde peilloze ogen, ogen van een vreemde. Olivier was een huilbaby, hij brulde de hele dag door, tot Ysbrand thuiskwam; dan viel hij in slaap. Ysbrand was overtuigd van zijn vaderlijke overwicht, zij van haar schuld.

Achter de Muur schijnt de zon niet, zou ze Olivier zeggen, ooit, als hij oud genoeg is om haar te begrijpen en bestand is tegen de willekeur van het bestaan. Dat moment lijkt steeds verder weg.

Ze schrikt van de deur die openzwaait. Haar ogen laten haar spiegelbeeld los en ze draait van de weeromstuit de kraan open. Ze houdt haar polsen weer onder de koude straal. De vrouw die binnenkomt loopt naar het toilet, maar haar pas stokt als ze Julia in de gaten krijgt.

'Ah, de dame die flauwviel,' zegt ze met een grijns. Ze komt achter Julia staan en legt een vlezige hand op haar schouder. Haar lichaam stinkt, Julia weet het zonder te ruiken. 'Ik zou het er ook warm van krijgen, van Alexander de Grote,' zegt de vrouw samenzweerderig. Ze legt overdreven nadruk op 'grote' en moet er zelf bulderend om lachen.

Haar lach jaagt kippenvel over Julia's huid. Ze sluit haar ogen een tel en haalt adem. Als ze ze weer opent, is de vrouw weg. Een witte leegte naast haar in de spiegel. Verwonderd kijkt Julia om, maar van de vrouw rest geen ander teken dan de versleten neuzen van twee rubbergrijze schoenen onder de wc-deur, iets van elkaar. Was ze echt? Zo-even?

De Julia in de spiegel kijkt haar bevreemd aan. Haar blik is streng en zegt haar wat ze al weet, dat er helemaal geen als is – geen als ze had geweten, geen als hij had geweten, als hij had gekund, als hij niet, als zij niet. Als impliceert een toekomst. Een onvoltooide tijd die nog voltooid moet worden. Julia heeft alleen nog voltooid toekomstige tijd.

O ja, ze heeft heus wel gezocht naar uitvluchten. Meer dan eens heeft ze bijvoorbeeld over de snelweg geraasd en zich afgevraagd wat er zou gebeuren als ze in een simpele beweging de sleutel in het contact zou omdraaien. Met een aan zekerheid grenzend vermoeden dat de tijd er niet onvoltooider op zou worden, maar gewoon verleden, heeft ze de sleutel echter nooit omgedraaid. Wel heeft ze een keer, tijdens een dronken etentje bij hen thuis, gezoend met Frederick. In de gang, ze hadden zo betrapt kunnen worden. Maar ze werden niet betrapt, en Julia heeft haar rok gladgestreken, haar haar achter haar oren geduwd en is terug naar binnen gegaan. Als het erop aankomt, doet ze niets. Niet veel meer dan ruziemaken. Ruzies die zomaar opvlammen op een meestal onschuldig moment; ze staat erbij en kijkt ernaar, alsof ze ziet dat iemand in elkaar wordt geslagen maar ze te laf is om in te grijpen. Ysbrand komt altijd terug, met excuses, een zoen, een weigering te aanvaarden dat het niet perfect is. Dat weet ze.

Ze drukt twee koele vingers onder elk oog en pakt haar dikke haar naar achter in een hoge paardenstaart, strak, zo strak dat haar slapen aan haar ooghoeken trekken en het pijn doet.

Ze laat de staart vallen als ze de vrouw klaterend hoort doortrekken.

‘Het spijt me,’ zegt Alexander nog voor ze gaat zitten. Haar stoel staat recht of er niets is gebeurd, haar jas hangt over haar rugleuning, een glas vol gin en een schuimende pul bier staan op tafel.

Julia gaat zitten.

‘Ik denk...’ begint Alexander aarzelend. ‘Jouw vlucht, het klinkt allemaal zo simpel. Zo gevaarlijk simpel om je te verraden. Ik schrok, denk ik, wilde je misschien alsnog behoeden voor een grote fout.’

Julia steekt een sigaret aan. Alexanders laatste twee woorden blijven bijna zichtbaar hangen in haar hoofd. Wat zei haar vader ook alweer over spijt: dat je een tweede fout begaat als je spijt hebt van je eerste fout. Iets in die redenering klopt niet.

‘Maar wat klets ik,’ gaat Alexander verder. ‘Hoe had ik je kunnen behoeden, ik ben degene die in de cel is beland.’ Hij lacht schamper.

Julia kijkt hem aan. ‘Wie was het dan wel?’

‘Wie?’

‘De verrader.’ Ze denkt na. ‘Het moet iemand zijn die niet van mijn vlucht wist, maar wel van de jouwe. Van je voornemen, liever gezegd. Of iemand die mij heeft zien vluchten, maar dat is praktisch onmogelijk. Trouwens,’ ze tikt met de nagel van haar wijsvinger op tafel, ‘wij waren voor de buitenwereld uit elkaar. Het moet dus iemand zijn geweest die wist dat we deden alsof. Bij mijn weten was dat niemand. Behalve mijn moeder.’

‘Wie zal het zeggen,’ zegt Alexander met een wegwuivend gebaar. Hij lijkt het onderwerp van tafel te willen vegen.

Maar Julia kan het niet loslaten. ‘Iemand moet ons hebben bespioneerd. Maar hoe kan die dan niet hebben geweten van mijn vluchtplan? Het zou natuurlijk wel kunnen dat onze verrader niet wist hoe ik ging vluchten. Dat wist jij immers ook niet. Maar hij, of zij, moet hebben geweten dát ik zou vluchten. Dan zouden ze mij toch wel hebben opgepakt, of op z'n minst in de gaten hebben gehouden?'

'Ik weet het niet.'

'Heb je daar nooit over nagedacht?'

'Eigenlijk niet, nee.'

'Niet?'

Alexander zet beide ellebogen op tafel en vouwt zijn vingers in elkaar. Julia zet zich schrap, zonder te weten waarom.

'Dat we zijn verraden, dat staat vast,' zegt Alexander. 'Daar hoef ik niet over na te denken. Maar ik wil niet weten door wie. Ik hoef niet te weten wie een dolk in mijn rug heeft gestoken. Waarom zou ik dat willen weten? Die dolk zit er al in; als ik hem eruit haal doe ik mezelf alleen maar opnieuw pijn.'

'Een dolk in je rug gaat zweren,' werpt Julia tegen. Het irriteert haar dat hij het kennelijk niet belangrijk vindt.

'Een wond ook,' antwoordt Alexander rustig. Hij zal zich niet op andere gedachten laten brengen, ziet ze aan zijn vastberaden gezicht. Hij heeft dit al lang geleden besloten. 'Ik ben liever gelukkig in onwetendheid dan ongelukkig in de wetenschap dat iemand mij heeft verraden.'

'Maar je weet al dat iemand je heeft verraden, dat zeg je net zelf.'

Ze wil dat hij samen met haar boos is, met terugwerkende kracht woedend op het lot dat door mensenhanden is misvormd. Waarom is hij het niet? Is hij het nooit geweest? Heeft hij nooit het gevoel gehad dat zijn leven uiteenspatte op een stoep vol scheuren?

Maar Alexander schudt zijn hoofd, één keer, en houdt het schuin terwijl zijn lippen stijf op elkaar zijn woorden binnenhouden. Klaar, hij wil dat het onderwerp klaar is. Maar Julia laat niet los. 'Wil je dan niet de waarheid weten? Is dat wat je wilt, leven in een leugen?'

'Luister, ik vraag je niet me te begrijpen. Voor mij doet het er niet toe wie mij heeft verraden. Misschien is het iemand uit mijn omgeving, misschien ook niet. Wie het ook is, die iemand zal wel een goede reden hebben gehad. En' – hij heft zijn vinger om Julia de mond te snoeren – 'ik dénk liever dat ik iemand kan vertrouwen dan dat ik weet dat ik iemand niet kan vertrouwen. Noem me naïef, het zij zo. Liever naïef dan verbitterd.'

Haar mond klapt dicht.

'Bovendien,' besluit hij zacht, 'het had niets uitgemaakt. Gepakt is gepakt. Met de wetenschap wie daarvoor verantwoordelijk is, had ik jou niet teruggekregen, wel?'

West-Berlijn, september 1979, op een bankje dat nog nat is van de zomerregen

'Eigenlijk is het beter zo. Nu ben je echt vrij.'

Julia wist niet zeker of ze het goed had verstaan.

Het meisje wipt met haar voet op en neer in hetzelfde vertraagde ritme als haar mond kauwgom maalt. Het korte witte haar boven zwartomrande ogen doet Julia denken aan het Twiggymeisje uit Margots tijdschriften. Maar dan zonder het lieflijke.

'Wat zei je dat je deed?'

Het meisje vraagt het zonder op te kijken van het schrift waarin ze aantekeningen maakt. Ze schrijft onverschillig of uiterst zorgvuldig, Julia kan niet opmaken welke van de twee, in elk geval zo langzaam dat een beladen stilte de tijd heeft gehad zich in het kantoor te vestigen. Alleen de pols van het meisje rinkelt bij elke spatie.

'Ik werkte bij een etser.'

'Een wat?' Het meisje kijkt op.

'Een etser. Iemand die etsen maakt.' Uwe Gorky, voegt Julia er in gedachten aan toe, als je het wilt weten. Ze strijkt een natgeregende haarlok uit haar gezicht.

De pols rinkelt, drie keer met tussenpozen.

'En wat deed je daar?'

'Ik nam de telefoon op. Ik schuurde de koperplaten, maakte afdekvernis. Ik stond in de galerie.'

'Aha,' zegt het meisje blij, haar pen in de aanslag, 'verkoopster dus?'

Julia aarzelt. De mooiste etsen gingen via de achterdeur. Dat waren de licht pornografische etsen die niet voor het publieke oog bestemd waren. Ze stonden ervoor in de rij, Uwe was een geliefd ontduiker van de partijzeden. Alleen niet en plein public, want dan kon hij geen etsen meer maken, luidde zijn theorie. *Art pour l'art.* Socialistische kunst omwille van echte kunst. Alleen verkocht die socialistische rommel beduidend minder.

'Nu ja, zo zou ik het niet echt willen noemen,' zegt Julia weifelend. Straks zet dat meisje haar als verkoopster in zo'n chic warenhuis op de Kurfürstendamm. Ze veegt een spat modder van haar jurk. Het wordt een vlek.

Het meisje schakelt snel. 'Telefoniste dan?'

Julia aarzelt weer.

De enige die weleens belde, was de man van Ulrike, haar voorgangster. Julia heeft haar nooit gekend, maar afgaande op de achterdeuretsen moet het een aparte schoonheid zijn geweest. Lang en jongensachtig, met evenwel perfect ronde borsten en een smal gezicht onder ravenzwarte, kortgeknipte haren, en met volle lippen, die getuit, zoals op bijna alle etsen waarop ze naakt of halfnaakt figureerde, de vorm van een hart hebben. Ze was Uwes ex en muze. Tot op een dag een stuk of dertien Stasi-agenten in uniform kwamen en haar meenamen op verdenking van staatsvijandelijke uitspraken, zo luidt het verhaal. Ze zou in een gesprek in een bar hebben gezegd dat Walter Ulbricht de Pinokkio van de Russen was en dat de DDR beter Deutsche *Diktatorische* Republik zou heten. Vonnis: 1 jaar en 8 maanden. Na een jaar werd ze door het Westen vrijgekocht. Maar haar man bleef wekelijks, soms zelfs dagelijks bellen. Julia kreeg nooit te horen waarom precies, maar had van een achterdeurkoper opgevangen dat het iets te maken had met een zoon die nog een baby was toen Ulrike werd opgepakt. Op een dag kwam Uwe in de galerie en beval haar de telefoon niet meer door te verbinden als het Ulrikes man was. Ze verzon twee keer een smoes, drie keer. Toen belde de man niet meer.

'Nu ja,' zegt Julia voorzichtig, 'zo vaak ging de telefoon ook weer niet.'

Als er nog iets in haar gezicht was dat aan Twiggy deed denken, dan zucht het meisje dat nu weg. Zichtbaar vermoeid somt ze op:. 'Dus je bent geen telefoniste, geen verkoopster, je hebt geen opleiding en geen werkervaring?'

'Ik kan afdekvernis maken,' mompelt Julia, maar het meisje heeft haar stoel al met een duw tegen het bureau naar achteren gerold en zit met haar gedachten in een archiefla vol dossiermappen. Ze trekt er een stapel uit en rolt terug naar het bureau.

Een kriebel kruipt door haar keel, maar Julia durft niet te hoesten.

De pols rinkelt als het meisje een dossiermap dichtslaat en een volgende pakt.

Julia trekt de klamme jurk iets van haar huid en heeft daar direct spijt van. De regen heeft zich aan het katoen geplakt en laat nu los als een zurige damp door het kantoor, die ongetwijfeld ook de fijne neusvleugels van het gekapte en opgemaakte meisje bereikt.

Ze had het goed verstaan.

Margot keek opzij naar haar man om bijval te oogsten.

'Vind je niet, Laurent?'

Julia's vader keek met een vragende blik op van Kundera.

'Het is eigenlijk maar goed dat Alexander niet komt. Julia is beter af zonder een man die te laf is om voor vrijheid te kiezen.'

Laurent dacht even na.

'Nu is ze echt vrij,' ging Margot verder, alsof Julia niet tegenover haar aan tafel zat. 'Nu hoeft ze met niets of niemand rekening te houden, geen man die haar aan het aanrecht zet, geen man wiens wensen wonderlijk genoeg altijd voorrang hebben boven die van de vrouw. Ze is vrij – ze is naar een geëmancipeerde wereld gevlucht, en zal er ten volste van kunnen profiteren, van al het werk dat de vrouwen voor haar hebben verricht.'

'Ah,' zei Laurent met duidelijke tegenzin, 'de mens is veroordeeld om vrij te zijn. Ook hier.'

'Chéri, even serieus.'

Laurent klapte Kundera dicht en zuchtte nauwelijks hoorbaar voor hij opstond uit zijn fauteuil, die in een verdekt hoekje tussen de boekenkast en zijn massieve bureau stond opgesteld. 'Ik kan me vergissen,' zei hij terwijl hij zijn lange benen onder tafel schoof, 'maar is de DDR niet bij uitstek geëmancipeerd?'

Margot lachte een schamper lachje. 'Het is maar wat je geëmancipeerd noemt. Vrouwen mogen werken, ja, ze moeten werken, anders krijgen ze die hele planeconomie niet voor elkaar. Maar ze mogen niet kiezen wat, en alleen studeren als het van de partij mag, en intussen moeten ze ook zo veel mogelijk kinderen krijgen om de heilstaat voor uitsterven te behoeden. Ja,' – ze wuifde Laurents protesterende hand weg – 'Marx wilde de mens emanciperen, ik weet het. De mens, niet de vrouw. Nou, dat is gelukt. Vrouwen zijn gelijk aan mannen, hoera, ze zijn allemaal even onvrij. Allemaal even onvrij om te bepalen wie ze zijn. Nee,' – het sarcasme vloeide uit haar toon – 'geloof me. Ik zie genoeg gevluchte vrouwen op de universiteit, die zijn mak als schapen.'

'Mijn Beauvoir,' glimlachte haar man toegeeflijk. Toen vouwde hij ernstig zijn handen en zocht zorgvuldig naar woorden.

Maar voor hij van wal kon steken, kapte Margot hem af met een ernstige hand op zijn arm.

'Liever niet. Simone de Beauvoir zat met Fidel Castro aan tafel. Maar bon, daar gaat het nu niet om.' Ze draaide zich naar Julia. 'Het gaat om je dochter.'

Julia opende haar mond om te zeggen dat ze geen mak schaap was en dus prima in staat zelf te beslissen wat ze deed. Maar Margot had zich al weer tot Laurent gewend.

'Jij moet haar overtuigen,' zei ze vastbesloten.

Het meisje klapt het laatste dossier dicht.

'Het enige wat ik voor je heb,' zegt ze terwijl ze iets op een papiertje krabbelt, 'is vrees ik iets waarvoor je je de moeite van het vluchten had kunnen besparen.'

Ze staat op en reikt haar het papiertje aan over het bureau. Haar zoete parfum en ranke hakken botsen met Julia's dampende katoen en zompige zolen.

Verbaasd kijkt Julia op. 'Is er echt niets anders?'

Het meisje schudt haar hoofd.

'Voorlopig niet, nee. Het spijt me.'

Julia staart naar het briefje in haar hand, dat zwaarder en zwaarder wordt tot het zo zwaar is dat de spieren in haar arm het bijna opgeven. Ze weerstaat met moeite de neiging haar hoofd op het bureau te leggen en haar ogen dicht te doen, heel even maar.

'Luister,' zegt het meisje ten slotte, 'wat jij moet doen, is een diploma halen. Een diploma opent alle deuren. Ga naar school, schrijf je in aan de universiteit, haal je typediploma – *anything*. Leer desnoods een taal, dan kan ik je zo ergens als directiesecretaresse plaatsen.'

'Ik kan Russisch,' probeert Julia.

'Ik zat meer te denken aan Engels. Of Frans. En als ik je een tip mag geven' – het meisje leunt voorover alsof ze haar grootste geheim gaat delen – 'kleed je niet zo Oost-Duits. Daar houden ze hier niet van.'

Haar vader had voorzichtig geklopt voor hij zijn hoofd om de deur van de logeerkamer stak.

'Kom binnen.'

Het woord papa rolde nog steeds niet vanzelfsprekend uit Julia's mond. Haar vader ging op de rand van haar bed zitten, zijn magere benen hoekig naast elkaar. Hij had het verste punt van het bed gekozen. Zo ver mogelijk dichtbij.

Hij ontweek haar blik, keek naar het raam, naar het groen dat roerloos in de zomerhitte hing. Het viel Julia op hoe smal zijn schouders waren, hoe benig zijn lange bovenlijf. Ze vroeg zich af of hij vroeger niet steviger was, breder en sterker.

'Weet je,' begint ze, 'die laatste keer in Praag dat we jou zagen, toen na Güdrun, weet je nog?'

Haar vader knikte zonder haar aan te kijken.

'Toen dacht ik dat jij en mama... nou ja,' ze keek naar haar vingers, wilde dat ze de woorden niet zou horen die ineens zo kinderlijk klonken, 'dat jullie weer bij elkaar zouden komen. Jullie zaten zo dicht bij elkaar, jullie waren zo innig. En mama wilde naar Praag, dat was ook zo'n positief teken. Althans, zo had ik het opgevat.'

Laurent knikte nog een keer, zonder zijn mond open te doen.

'Maar toen vertelde je van Margot, en dat ze in verwachting was, dat jullie zouden trouwen. En toen...' Ze kneep met haar linkerhand in de vingers van haar rechterhand.

Toen gingen Julia en Frida terug naar Berlijn en hebben ze de hele reis geen woord tegen elkaar gezegd.

Ook niet toen ze thuiskwamen.

Julia ging naar haar kamer en wist dat ze haar vader niet meer zou zien. Dat haar moeder niet nog een keer naar Praag zou gaan, of naar Budapest, dat ze nooit meer dezelfde lucht wilde ademen als de man die haar en haar kinderen had verlaten. En dat Julia dus ook nooit meer dezelfde lucht als haar vader zou ademen.

Haar vader legde zijn hand op de deken, vlak naast haar voet. 'Een herinnering aan liefde lijkt op liefde,' zei hij zacht, 'het maakt ook gelukkig.'

Zijn stem klonk zacht en welwillend. Niettemin maakte hij Julia opeens woest. 'Schreef Marcel Proust?'

Een flauwe glimlach terug. 'Goethe.'

'O ja, je zou ook zelf eens iets bedenken,' snauwde ze. Haar woede vlamde op en er was niets om hem te doven. Waarom zou ze ook. 'Als je nog iets slimmer was geweest, of moet ik zeggen: iets minder slim, dan had je kunnen bedenken dat jij er misschien gelukkig van werd, maar wij, de dochters die je achterliet, niet. Is dat weleens in je opgekomen?'

Geschrokken keek haar vader op. 'Maar natuurlijk. Wat dacht je?' Hij trok zijn hand terug en wrong hem in zijn andere. 'Dacht je dat ik zo gelukkig was?'

Julia haalde haar schouders op. 'Gelukkig genoeg om weg te blijven.'

'Alsof ik nog terug kon komen. Alsof ik nog een voet in de DDR mocht zetten. Nee! Niet eens voor de begrafenis van mijn eigen dochter!' Zijn stem sloeg over, en Julia geloofde werkelijk dat hij het meende. 'Het enige wat ik kon doen, godbetert, was cacao en koffie in een doos stoppen en die naar jullie sturen, naar jou – heb ik dat niet gedaan? En heeft Margot daar niet mooie kleren bij gedaan? Heeft ze dat niet gedaan? De zorg waarmee ze dat spul uitzocht! Maar nee, jij moest zonodig te kennen geven dat het niet de goede jeans was, niet de goede stof, weet ik veel wat je er godverdomme niet goed genoeg aan vond!'

Julia zweeg geschrokken. Ja, hij meende het. Als haar vader vloekte, dan was het menens, dat herinnerde ze zich ineens haarscherp. Laurent werd nooit boos, nooit, maar als hij het werd, dan vlogen de poppen door de kamer. Eén keer had hij Güdrun bij haar nek gegrepen en tegen de muur gedrukt, dat was toen ze Julia in haar maag had gestompt. Julia stond erbij en keek ernaar, zich oneindig schuldig voelend omdat zij Güdrun als eerste had gestompt, maar dat had hun vader niet gezien; hij had achter zijn krant gezeten en was er plots achter vandaan gesprongen, als een duivel uit een doosje, vloekend of het nou godverdomme eens klaar kon zijn met die herrie in huis.

Ze trok haar benen op en duwde haar voeten zo ver mogelijk tegen haar billen.

'Sorry,' mompelde Laurent, en hij legde zijn hand weer op de deken, vlak naast de afdruk van haar been.

Ze keek naar de slijtplek op zijn jasje. Hij zat vreemd genoeg net iets boven zijn elleboog. De stof was op die plek bleekbruin, alsof iemand hem een veeg met een schoolbordwisser had gegeven.

'Je gelooft het misschien niet, Juliette, maar ik was blij van je te horen. Zo blij' – hij lachte een lach die op een hinnik lijkt – 'dat ik een fles champagne uit de kelder heb gehaald en dat we Edith Piaf hebben opgezet.'

'Hebben jullie gedanst?'

Laurent keek naar zijn wijsvinger die een cirkel tekende op de deken. Hij schudde zijn hoofd. 'Dansen deed ik alleen met je moeder.'

Julia sloeg haar armen om haar knieën en drukte ze tegen elkaar.

'Weet je dat Güdrun, de avond voor ze stierf...' Ze slikte even. 'Toen die avond wilde ze niet slapen. Ze wilde praten, over welke kleur vrijheid had, voor onze kleurencatalogus, weet je wel.'

Haar vader knikte door zijn tranen heen.

'Vrijheid had de kleur van rozen, zei ze.'

'Van rozen?'

'Ja, van dat liedje. Jouw liedje.'

Haar vader keek haar fronsend aan.

'Over rozen. Dat liedje waarop je altijd met mama danste.'

De frons boven zijn neus kreeg er een tweede bij. Toen, ineens, schoof de schaduw uit zijn ogen en trok er een grijns over zijn gezicht. Even hoopte Julia dat hij het ging hummen, of op zou springen om de plaat te zoeken en met haar te dansen. Maar hij schudde alleen zijn hoofd.

'Dat gaat niet over rozen.'

'Hoezo niet?'

'Het is een uitdrukking: *voir la vie en rose*. Positief zijn, het leven zien als een bron van geluk.'

Julia veerde op. 'Dus geluk heeft de kleur van rozen.'

Haar vader schudde weer zijn hoofd. 'Die rozen hebben er niets mee te maken. Het gaat om de kleur. Roze. Zacht en licht, de ultieme tegenhanger van zwart, *voir la vie en noir* betekent juist het leven somber inzien.'

Zijn lach stak haar.

'Je hoeft niet zo te lachen,' kaatste ze terug. 'Wij hebben nooit Frans geleerd.'

Zijn gezicht dook weer in de schaduw. 'Nee. Nee, dat klopt.'

Hij tuurde naar zijn vingers. Opvallend lange, slanke vingers, met de huid van een jongeman en gladde nagels als van een meisje. Pianovingers, zei Frida altijd. Die heeft geen van jullie geërfd. Julia zou niet weten wat ze naast haar dikke haar wel van haar vader had geërfd. Of van haar moeder.

'Je zou het nu kunnen leren.'

Ze keek op. Haar vader zei het zo zacht, eerder tegen zijn vingers dan tegen haar, maar ze had het goed verstaan.

'Je kunt nu alles leren,' ging hij voorzichtig verder, alsof zijn woorden iets konden breken. 'Je kunt naar de universiteit. Naar de academie. Je kunt hier alles worden wat je maar wilt.'

Julia staarde hem aan. Waar wilde hij heen? Waar wilde zij heen? Ze wist het niet meer zo goed, wat ze wilde. Wat het ook was geweest, het was er niet meer en zou er nooit meer zijn. Niet hier, en ook niet daar, waar de straten vol gaten zaten en de zon nooit scheen, ook al scheen ze wel. Het was er ergens tussenin, blijven hangen in het prikkeldraad.

PS Word gelukkig.

'Ik wil studeren.'

Laurent knikte peinzend. Er lag iets op zijn lippen wat niet naar buiten wilde.

Julia legde haar handen op haar buik.

'Geschiedenis. Ik wil geschiedenis studeren.' Ze proefde de woorden die ze zo vaak had gezegd, maar hier, aan deze kant van de Muur, op dit moment, smaakten ze anders.

Haar vader bleef knikken. Alsof hij haar woorden al kende en zijn antwoord ook; het moest er alleen nog uit.

'Ik wil begrijpen waarom er een Oost is en een West.'

Julia wilde praten, doorpraten, tot het woord papa vanzelf uit haar mond zou rollen.

Haar vader haalde diep adem. Zijn hand schoof dichter naar haar toe, hij raakte haar bijna. Toen legde hij beide handen op zijn knieën en keek ernaar.

'Margot denkt dat het beter is als je, zeg maar' – zijn stem werd toonloos – 'als je, laten we zeggen, eerst iets doet aan je positie.'

'Mijn positie?'

'Je zwangerschap.'

Ze drukte haar handen tegen haar buik. 'En wat zou ik daaraan moeten doen?'

'Margot vindt dat je niet bent gevlucht om je jonge leven te laten bepalen door een kind.'

Haar buik voelde sterk als een leren bal.

'Margot denkt dat het beter is dat je anders vertrekt.'

Toen Julia de deur uit ging, regende het nog niet. Het was warm, een aanzwellende hitte hing trillend boven het verlaten asfalt van de laan. Als ze goed had opgelet, was haar misschien het dikke vocht opgevallen dat zich boven de stad in grijze wolken had samengepakt. Maar Julia lette niet goed op. Ze had afwezig haar handen in de zakken van haar dunne zomerjurk gestoken en was als door een tunnel het tuinpad af gelopen, door het hek, de laan uit en langs de tramhalte.

Toen de hitte eenmaal knapte, was het te laat om te vluchten in een tram. Om Julia heen klapten mannen en vrouwen paraplu's open of schoten een auto in, maar zij had niets bij zich en geen plek om te schuilen voor de mollige druppels die naar beneden kletterden. De enige weg was vooruit.

Die weg voelt nu allesbehalve als vooruit.

Julia leest nogmaals het briefje in haar hand.

Ze stopt het briefje in haar zak en slaat haar benen over elkaar. Stevig, zoals de vuisten in haar zak. Ze wou dat ze een man was en tegen iets kon beuken. En niet steeds die medewerkster in Marienfelde voor zich zag met de verkondiging dat er werk genoeg was voor pientere jongedames als zij.

Naast haar in de receptie van het uitzendbureau zit een meisje met lang blond haar dat ruikt naar de frambozensnoepjes die Güdrun en zij vroeger van de heer Schulz kregen. Tegenover haar hangt een jongen met pukkels op zijn gezicht nonchalant op een stoel. Julia betwijfelt of zij ook een briefje zullen krijgen met daarop de vacature van worstenvuller bij Vlees- en vleeswarenfabriek Fritz. Ze sluit haar ogen en wou even, heel even maar, dat het toen was en niet nu.

Als Julia haar ogen opent is het gestopt met regenen. Ze staat op en strijkt de kreukels uit haar jurk.

De straten zien er anders uit nu de zon zich weer laat zien, glinsterend op de daken van de auto's, de plassen in de goot, de luifels van de winkels. De mensen komen uit auto's, uit trams, uit huizen en winkels, ze komen overal vandaan en nemen de straat langzaam weer in bezit. Om de zoveel blokken weer die bureaus, met plakkaten in de etalage die banen etaleren die niet bestemd zijn voor vrouwen uit Oost. Bestaan dergelijke bureaus ook voor huizen? Voor levens? Houden die er ook restricties op na voor vrouwen uit Oost?

Iemand loopt links tegen haar aan. Iemand schuurt rechts langs haar schouder. De stoep wordt smaller naarmate de zon warmer wordt. Iedereen loopt sneller dan zij en niemand kijkt op. Maar Julia's gedachten laten zich niet opjutten. Ze vlucht een park in en gaat zitten op het eerste bankje in de zon.

Rozen zijn roze, Güdrun.

'Jij ziet eruit als iemand die wel een sigaret kan gebruiken.'

Een pakje sigaretten dringt haar gezichtsveld binnen. Aan het pakje zit een mannenhand vast met blanke nagels, een manchet aan een lichtblauwe arm die toebehoort aan een jongeman met asblond haar dat sluik langs zijn gezicht valt. Zijn gezicht is hard van knapheid.

Julia aarzelt.

'Ik rook niet.'

'Dat wordt dan hoog tijd,' zegt hij, terwijl hij de sigaretten een centimeter hoger tilt.

Zijn stem is warmer dan zijn uiterlijk doet vermoeden en nodigt uit alles van hem aan te nemen. 'Eentje dan,' zegt ze aarzelend en ze trekt een sigaret uit het pakje.

De jongeman klapt een aansteker open en geeft haar vuur voordat hij zelf een sigaret uit het pakje vist en aansteekt.

'Tien tegen een dat jij uit de DDR komt,' zegt hij. De rook waaiert uit zijn neusgaten.

Julia's bloedvaten trekken samen. De sigaret is smeriger dan ze had verwacht en doet haar bijna kokhalzen. Hij kijkt glimlachend toe hoe ze zo losjes mogelijk haar hoofd schudt.

'Hoe komt u daarbij?'

Hij lacht. 'Je hoeft niet te schrikken. Ik doe niks.'

'Ik schrik niet.'

'Nee,' merkt hij droogjes op, wijzend op het kippenvel op haar benen, 'het is hier gewoon heel koud.'

Julia slaat haar benen over elkaar en voelt zich naakt onder de blik van deze vreemde die doet alsof hij geen vreemde is. Kijk uit waar je loopt en tegen wie je wat zegt, zei haar vader. De Muur houdt Ossies tegen, maar Genossen niet.

'Je kunt rustig ademhalen,' praat de jongeman onverstoorbaar verder. 'Ik werk niet voor de Veiligheidsdienst of waar je dan ook bang voor bent.' Hij wijst met zijn sigaret in de richting van een gebouw aan de rand van het park. 'Ik werk daar.'

Julia kijkt van het gebouw naar de jongeman naar het park om hen heen. Een bankje verder zit een man met een boek in de hand en een flinke pleister op zijn neus. Verderop duwt een vrouw in een witte jas een rolstoel, waarin iemand zit van ondefinieerbare sekse en leeftijd, want het hoofd zit volledig in verband. Julia kijkt weer naar de jongeman, die haar geamuseerd aankijkt.

'Wat is dit?'

'Dit, mejuffrouw Ossie, is de tuin van Klinik Vita, voor al uw brandwonden, oorlogsverminkingen en flaporen.'

Julia begrijpt dat ze zich op privéterrein bevindt en staat geschrokken op. 'Neemt u mij niet kwalijk.'

'Kom,' lacht de jongeman vrolijk, 'maak je niet druk. Kom zitten, en rook met mij. Dat ben je me verschuldigd. Zo vaak loop ik hier niet een knappe vrouw tegen het lijf.'

Half tegen haar wil gaat Julia weer zitten. Het zijn zijn rechte tanden, of zijn zelfvertrouwen dat rustig blaakt in de zon die van hem lijkt. Zijn blauwe ogen die niet oplichten als hij lacht. Het is iets in hem wat haar doet denken aan de posters in Güdruns bureaula.

'Hoe wist u dat ik uit Oost kom?'

Hij glimlacht en schiet zijn peuk weg. 'Mag ik?' Zonder het antwoord af te wachten schuift hij dichter naar haar toe en strijkt voorzichtig een lok haar opzij. Hij tilt haar kin op en draait haar gezicht naar het licht, alsof hij een antieke vaas keurt op authenticiteit. Julia ruikt de geur van zijn vingers, een kille geur van zeep en tabak die op een griezelige manier bezit van haar lijkt te nemen.

'Zo'n natuurlijke schoonheid,' hoort ze vlak naast haar oor, 'zo volmaakt van zichzelf, zo symmetrisch en egaal dat het geen make-up of hulp nodig heeft,' – hij laat haar kin los – 'die kan alleen uit de heilstaat komen,' besluit hij.

Ze kijkt hem argwanend aan, maar de jongeman naast haar kijkt ineens bloedserieus. Ze vangt een glimp op van de man die hij zal worden, een charmante, succesvolle man, zonder twijfel.

'En je bent vergeten nieuwe schoenen te kopen,' zegt hij met een hoofdknik naar haar quasileren schoenen met rubberen zool.

Ze trekt haastig haar voeten onder het bankje.

De stilte maakt meters van de centimeters die hen scheiden. Zij rookt, hij kijkt.

'Ik weet hoe het voelt,' zegt hij, zorgeloos over de meters heen.

'Wat?'

'Ergens nieuw zijn. Vreemd. Ontheemd.'

Pas nu valt haar zijn lichte accent op, dat eerder in de intonatie schuilt dan in de uitspraak.

Hij maakt een gebaar naar de kliniek. 'Ik werk hier nu bijna een jaar en nog voel ik me een buitenstaander.'

'Waar kom je vandaan?'

'Nederland,' zegt hij glimlachend.

'Nederland,' herhaalt Julia dommig. Ze weet niets te zeggen over dat land dat voor haar even exotisch is als het dichtbij is. Ze wil vragen of hij Nina Hagen kent, maar weet wel zeker dat dat te Oost-Duits klinkt.

'En jij?' Hij draait zich naar haar. 'Wat brengt jou hier?'

Ze plukt aan haar jurk.

Hij wacht haar antwoord niet af. 'Domme vraag,' mompelt hij en hij slaat zijn armen over de leuning van de bank. Julia voelt de aanwezigheid van zijn huid op een paar centimeter achter haar schouderblad. Het geeft haar een ongemakkelijk gevoel, alsof ze iets moet doen, maar ze weet niet wat.

De jongeman naast haar lijkt zich allesbehalve ongemakkelijk te voelen. 'In Kreuzberg is een restaurant waar ze allerlei flessen wijn laten aanrukken waar je allemaal een glaasje uit mag proeven,' vertelt hij vrolijk. 'De lekkerste komt op tafel. Maar wat niemand weet, is dat in alle flessen dezelfde wijn zit.'

Ze kijkt hem aan en ziet een glimp van glans in zijn ogen. Ze lacht onwillekeurig, voor het eerst deze dag.

Oost-Berlijn, oktober 1990, Knaackstraße

Toen de Spree nog groen was, gingen ze vaak zwemmen. Dat wil zeggen, Güdrun ging vaak zwemmen. Ze trok haar kleren helemaal uit en kloste, gierend en proestend, het water in.

'Kom,' riep ze als ze spetterend kopje-onder was gegaan. 'Julchen, het is heerlijk. Niet zo preuts, er zijn hier geen muren, geen mannen. Kom, trek die kleren uit.'

Ze had een mooi lichaam, Güdrun. Het lichaam van een meisje dat op het punt stond een vrouw te worden. Julia keek met heimelijke jaloezie naar de glinsterende ribben onder de twee nakende borsten die brutaal richting de oever priemden, alsof ze wilden zeggen, kom, trek uit dat T-shirt en laat ons eens zien wat jij al hebt.

Julia had niet veel, nog niet een begin eigenlijk van wat haar lichaam zou moeten worden. Ze zou wel willen, haar T-shirt, hemd, rok, sokken en schoenen uittrekken en het water in rennen, maar haar lichaam wilde niet. Ze was een bangerik dat ze haar kleren niet uit durfde te doen, dat wist ze zelf ook wel. Ze zou willen dat ze het lef van haar zus had, of de borsten. Maar eerlijk gezegd had ze geen idee hoe dat er bij haar uit zou moeten zien. Onder Güdruns gejoel trok ze haar schoenen en sokken uit en liep tot haar enkels het water in.

Het water langs de oever was warm. Er dreven zwarte beestjes in die aan je huid bleven kleven.

‘Misschien wil je wat eten,’ zegt Alexander en hij steekt haar over tafel een geplastificeerde menukaart toe. De vragen die besloten lagen in zijn laatste woorden glijden van tafel, alle honderdduizendeneen.

Dat is maar goed ook, Julia zou de antwoorden toch niet weten. Alle kleuren wankelen.

Ze pakt de kaart aan van Alexander en kijkt hoe zijn ogen zoekend over de gerechten gaan. Pizza met gehakt. Hamburger met frites en salade. Pasta bolognese. Ze heeft geen idee wat hij zou kiezen. Als ze nog met hem zou zijn, zou ze het weten, zo’n relatie zouden ze hebben, dat weet ze heel zeker.

Een bitterzoete jas glijdt om haar lijf.

Hij kijkt op. ‘Wat neem je?’

‘Ik hoef niets,’ zegt ze en ze legt de menukaart opzij. Met plotse zekerheid dat deze hele ontmoeting een vergissing is, pakt ze haar notitieboekje en haar sigarettenblikje. ‘Ik moest maar eens gaan.’

Alexander kijkt zonder iets te zeggen toe hoe ze haar stoel achteruitschuift en haar tas op schoot zet. Zijn ogen zijn geduldig. Haar vingers niet. Ze trekt aan de rits, maar die blijft haken, achter wat? Achter een stuk stof van de voering, dat ze tussen de tandjes heeft laten komen. Ze vloekt.

Alexander zegt nog altijd niets, hij zit erbij als een verhoorder die alle tijd van de wereld heeft. Verhoorders hebben altijd alle tijd. Verdachten niet meer, niet van zichzelf. Ze trekt aan de ellendig kleine trekker van de rits, maar haar vingers trillen te erg om er beweging in te krijgen. Ze stoppen pas met trillen als ze Alexanders handpalm over zich heen voelen.

De eerste keer dat ze samen naar de oever gingen, Alexander en zij, was het al lente. De eerste lente zonder Güdrun. Julia weet nog dat ze zich verbaasde over de zachtheid van de lucht op haar gezicht. Alexander trok zijn kleren uit, zijn onderbroek, en sprong zonder aarzelen in het water. Hij zwom een flink eind en toen kwam zijn bovenlijf rechtop uit het water, de torso van een sportman. Hij draaide zich om en de Spree deed zijn spieren glinsteren zoals ze dat ooit met Güdruns ribben had gedaan. Nu was het Alexander die haar vanuit het water riep. Zonder woorden, zonder geluid. Het was zijn stilte die vroeg. Had ze geen zin, dan was het ook goed. Maar ze had het wel. Zin om haar voetzolen los te scheuren van de grond, haar knieën, benen en bloed te bewegen en de Spree in te rennen, haar borstkas vooruit, de kilte in, het lessende water op haar huid te voelen.

'Je hebt me nog niet geïnterviewd.'

Er komt langzaam beweging in Alexanders gezicht. Het is zijn stilte die vraagt.

Het is haar lichaam dat antwoordt. Haar lichaam dat blijft zitten waar ze zit, niet in staat te kijken naar zijn handen op de hare, niet in staat overeind te komen en weg te lopen, de deur uit, de straat, de stad, haar onvoltooid verleden.

Haar handen glijden onder de zijne vandaan en zetten haar tas op de grond. Het notitieboekje ligt dichtgeslagen voor haar op tafel, als een stil verwijt. Dicht of open, het maakt niet uit.

'Goed.' Ze probeert de stem van een journalist aan te nemen. 'Vertel dan maar.'

'Wat?'

Julia kijkt op en voelt hoe haar blik de zijne raakt. Ze zoekt, in zijn ogen die de hare niet meer zijn, anders zou ze hem kunnen vertellen welke kleur bruin ze hebben, dat ze dat eindelijk heeft ontdekt, op een middag waarop Ysbrand thuiskwam en zijn glas onder de cognacfles hield en Olivier zijn baby-ogen naar haar opsloeg, anders zou ze hem kunnen vertellen dat ze precies dezelfde ogen hebben, ware het niet dat ze in die van Olivier niet kan lezen wie ze is, niet zoals ze dat in Alexanders ogen kon, anders zou ze hem kunnen vertellen dat ze dat heeft gemist, al die jaren zonder het te weten en dat ze dat nu pas beseft, nu ze weer in die ogen kijkt en zichzelf nergens meer kan vinden, en Alexander evenmin.

'Alles, geloof ik,' zegt ze, en ze schuift haar notitieboekje opzij.

'Alles?' Alexander lacht weer dat cynische lachje dat hem niet past. 'Er was een tijd dat we elkaar niets hoefden te vertellen.'

'Daarom juist.'

Nu raakt zijn blik de hare, ze voelt het, en vlak voor hij zijn ogen neerslaat ziet ze ze voor het eerst: de herinneringen.

'Nu dan. Alles. Alles gaat goed.'

'Ja?'

'Ja.' Hij haalt zijn schouders op. 'Prima.'

'Wat is prima?'

Zijn handen draaien de bierpul langzaam om en om op het tafelblad.

'Prima is goed genoeg. Prima is een centrale verwarming in huis. Prima is een aflopende vloer in de douche zodat de badkamer niet meer blank komt te staan. Prima is een blauwgeverfd balkon zodat ik niet meer per ongeluk de verkeerde flat in loop. En prima' – hij aarzelt – 'is een vrouw met een kind wiens vader ik min of meer ben.'

'Ach zo.' Julia slaat haar ogen neer. 'Hoe is dat?'

'Hoe is wat?'

'Om voor een kind te zorgen dat niet het jouwe is?'

Alexander haalt zijn schouders op. 'Het went. Inmiddels is hij zo goed als mijn kind. En ik zo goed als zijn vader. Hij was zes toen ik zijn moeder leerde kennen.'

'En nu?'

'Nu is hij zeventien.'

Julia neemt een slok gin, die als stroop langs haar gehemelte glijdt. Haar mond verlangt naar water, koud, dun, veel water.

Het water was koud, nog kouder dan de kleur deed vermoeden. Julia kreeg kippenvel toen ze er een teen in stak. Haar borsten werden hard en rond. Ze trok haar hemd en onderbroek uit en liep naakt de Spree in, die stug tegen haar kuiten sloeg. Alexander was dieper het water in gezakt, tot hij niet meer was dan een bal op de waterspiegel. Daar bij hem was de Spree stil, een roerloos wateroppervlak, zwart als een glanzende grafsteen. Ze zou er later onvermoeibaar in duiken, elke keer opnieuw, tot Alexander zich zorgen maakte of ze wel boven kwam, of ze niet te ver ging, of ze nog op de oever zou komen. Ze ging altijd weer terug, maar alleen omdat Alexander haar anders zou komen halen. Als het aan haar en het water lag, zouden ze voor altijd in die innige omhelzing blijven die haar vulde met een warme gloed vanaf de eerste keer dat ze sprong.

Maar nu sloot de kou zich nog als een kloeke vuist om haar enkels en was het zijn blik die haar het water in trok, eerst haar kuiten, toen haar dijbenen, haar buik, haar tepels.

'Ik moest wel,' zegt Alexander.

'Je moest wat?'

'Iemand leren kennen. Die vrouw.' Hij pulkt wat aan zijn manchet. 'Haar zoontje, Mikhail, ik trainde hem. Ze hadden me bij de pupillen geplaatst, zie je.'

Julia maakt een afwerend gebaar. 'Je hoeft je voor mij niet te verantwoorden.' Ze wenkt naar de serveerster, die zonder op te kijken haar handdoek over de biertap hangt en hun richting op sloft.

'Willen de dame en heer misschien iets eten?'

Alexander kijkt naar Julia.

Ze schudt haar hoofd. 'Doet u mij maar een spuitwater met citroen.'

Vermoeid pakt het meisje de kaarten van Alexander aan. Julia vraagt zich af of ze uit West komt of een al verwesterd Oostmeisje is. In beide gevallen vindt Julia het vreemd dat zij zich een buitenstaander voelt onder de ijzergrijze ogen van dit meisje.

'Het was niet zoals je nu misschien denkt,' gaat Alexander verder.

'Niets blijkt te zijn zoals ik denk.'

Hij slaat zijn ogen neer. 'Ik bedoel, jij was weg en je zou niet meer terugkomen.'

'Nee, hoe had ik dat kunnen doen?' Ze lacht hard. 'Naar de Friedrichstraße en aansluiten in de rij alsof mijn neus bloedt? Ze zagen me aankomen. Zo mevrouw, toch maar niet naar het Westen?'

'Nee.' Alexander haalt zijn hand door zijn haar dat er bijna niet meer is. 'Nee, natuurlijk niet.'

Ze kijkt naar haar vingers, die haar sigarettenblikje openklikken en dichtdrukken, open en dicht. Ze doet het zo behoedzaam mogelijk, opdat de klik van het slotje de stilte niet verstoort.

Ze klapt het blikje open, het is leeg. Ze klapt het dicht.

'Verkoopt u sigaretten?' vraagt ze aan het barmeisje, dat een spuitwater zonder citroen voor haar neerzet.

Met een hoofdknik wijst het meisje naar het gordijn waarachter de gang met het toilet is. 'In de automaat.' Ze loopt weg voor Julia kan vragen of ze geld kan wisselen.

'Hier,' zegt Alexander en hij legt drie mark op tafel.

'Dank je,' mompelt ze.

Ze pakt de munten en verdwijnt achter het gordijn, zich hinderlijk bewust van ogen die haar volgen. Ze laat zich tegen de rode muur vallen die naar verf ruikt. Tegenover haar hangt de sigarettenautomaat waar ze zo-even blind langs moet zijn gelopen.

De automaat hangt pal naast de deur naar het damestoilet, dat tevens dienstdoet als herentoilet. Een poster van een glanzende Madonna omringd door mannen in pak hangt op de zwartgelakte deur. De deur waar vroeger het herentoilet zat is dichtgespijkerd en dient als achterwand voor de sigarettenautomaat.

Julia denkt aan de ogen en oren in de muur, die overal konden zitten en vooral daar waar je ze het minst verwachtte. In het kleedhokje van het zwembad. Onder je schooltafel. Op je schouder. In zo'n automaat zou ook een goede plek zijn geweest, als de DDR zulke automaten had gehad.

De automaat is klein, er is slechts ruimte voor vier laatjes en ze bevatten allemaal West-sigaretten. Erboven hangt een filmische poster waarop een knappe man met een perfect uitgevoerde glimlach een sigaret aanbiedt aan een versleten versie van Nina Hagen met uitgroei. TEST THE WEST staat er in rechte rode letters boven. Julia schampert.

Haar eerste sigaret in West was een Stuyvesant. De geur van de grote wijde wereld, dat was hun slogan, de geur van vrijheid, die van Ysbrand. Ze heeft nooit begrepen wat er groot en wijd kon zijn aan een peuk die je longen ineen doet krimpen, noch wat er vrij was aan sigaretten waarvan elke laatste een volgende betekende.

Julia laat haar ogen langs de pakjes gaan en trekt een pakje West Talk naar zich toe. De zwaarste.

Als ze het café in loopt zoekt Alexander haar blik. Zo op een paar meter afstand oogt hij vertrouwd breed, een baken in de oeverloze diepte.

In haar glas drijft een schijf citroen.

'Dank je,' mompelt ze opnieuw en ze schuift aan tafel. 'Sorry.'

'Sorry waarvoor?'

'Voor wat niet?' Ze negeert zijn wegwuivende gebaar en somt rücksichtslos op, om de een of andere reden voelt het goed dat te doen, het nieuwe verleden te benoemen en er zo klanken aan te geven, klanken die ze kan horen en proeven. 'Voor dat ik ben gevlucht. Voor dat je bent opgepakt. Dat je bij de pupillen bent geplaatst. Voor dat je leven niet meer dan prima is.'

Alexander pakt haar handen in de zijne en kijkt ernaar met de ogen van een oude man die terugkijkt op een leven dat hij toch niet meer kan veranderen. Julia vraagt zich af of hij er zelf van schrikt, van haar koude benige huid tegen zijn warme handpalmen, die op een prettige manier ruw aanvoelen, als te vaak gepoetste suède. Ze zou haar handen willen terugtrekken, hem zeggen dat hij zijn handen niet om de hare hoeft te houden, dat er een weg terug is als je spijt krijgt van iets wat je te snel doet.

'Dat is niet jouw schuld,' zegt Alexander. 'Bovendien, je moet geen sorry zeggen als het je niet echt spijt.'

'Wat weet jij daarvan.'

'Natuurlijk spijt het je niet echt. Het zou mij ook niet spijten. Beter een van de twee vrij dan geen van beiden.'

Hij laat haar handen los en laat zijn blik door het raam naar buiten dwalen. Julia laat haar handen op tafel liggen, nog altijd niet in staat ze terug te trekken of er zelf naar te kijken, en verbaast zich erover hoe snel de kou weer bezit van ze neemt, zo zonder de warmte van zijn huid.

'Ik weet nog steeds niet waar ze me vasthielden,' gaat hij verder. 'Het was er groot. Een doolhof aan gangen. De ene gang na de andere, de ene deur na de andere. Daar sloegen ze 's nachts op met een knuppel. Soms wel zesendertig keer per nacht. Staal op staal.'

Alexander praat op een toon die ze niet van hem kent. Julia zou willen dat hij anders praat, op een toon die zij herkent, of over iets anders, of haar aankijkt.

'En dan was er nog de verhoorvleugel. Oneindige gangen met om de twee meter een deur naar een kamertje. Het rook er naar koffie en stempelinkt, alsof het een doodnormale kantoorafdeling betrof.' Hij kijkt naar zijn glas, dat op een schuimkraag na leeg is. Hij zet het aan zijn mond en slaat het schuim achterover. 'Ik kan niet meer langs een kantoor lopen zonder me af te vragen of het daar misschien was. Net zoals ik geen groentebusje voorbij kan zien rijden zonder bang te zijn. Er rijden heel veel groentebusjes door Berlijn.'

Julia staart naar het schuim op Alexanders bovenlip. Het lijkt of ze terug bij af zijn, terug bij het begin van een gesprek dat ze niet hebben gevoerd. De enige weg is rechtdoor, maar die nemen ze niet. Ze breekt het pakje West Talk open en wurmt er een sigaret uit. De rook prikt in haar ogen en even ziet ze Alexander door een waas van tranen.

'Nog steeds droom ik dat ik gevangen zit. Daarom moest ik wel, snap je.'

Ze knippert het waas weg.

Alexander zucht. 'Ik moest wel verder. Zo voelde het. Als ik een andere vrouw had, zouden ze mij met rust laten. Want ja, ik wist inmiddels waar ze toe in staat waren.'

Ze staart in zijn ogen, die een glimp geven van toen.

'Ach ja,' gaat Alexander verder, 'jij wist het altijd al. Je hebt het me vaak genoeg duidelijk proberen te maken.' Hij haalt weer zijn hand door zijn haar. 'Ik had beter naar je moeten luisteren. Dan hadden we –'

'Niet doen.'

Ze zegt het zo zacht dat ze twijfelt of ze het wel heeft gezegd. Maar hij heeft het gehoord.

'Wat niet?'

'Niet doen alsof.'

'Ik hoef niet te doen alsof.' Alexanders stem, een octaaf gedaald, klinkt ver weg, uit een ander universum, een andere tijd. Julia pint haar ogen vast op de bovenste knoop van zijn jasje. Hij heeft zijn jasje dicht. Het zou open moeten, voor een man gaat zitten moet hij met één hand zijn jasje openknopen.

'Ik hoef het niet,' herhaalt Alexander, luid en duidelijk, 'omdat het geen alsof is.'

Julia recht haar rug.

'Ach, dat is quatsch,' zegt ze resoluut. Kleuren die wankelen zijn tot daaraan toe, maar ze moeten niet proberen nieuwe betekenissen aan zich te verbinden. 'Je had me kunnen schrijven. Je had me alsnog achterna kunnen komen. Je had me kunnen bellen, een enkel telefoontje om me te vertellen dat je brief een leugen was. In al die jaren had je daar best een veilig moment voor kunnen vinden.'

Alexander schudt zijn hoofd, langzaam, alsof het honderd kilo weegt. 'Ik heb het geprobeerd.'

'Wat zeg je?'

'Ik heb het geprobeerd.'

'Wat?'

'Je te vinden.'

'Hoe dan?' Julia's stem wordt scherp.

'Ik ben bij je moeder geweest. Om te vragen waar je was, hoe het met je was. Ik wist niets, ik wist niet eens of je mijn brief wel had ontvangen. Ik durfde geen nieuwe te sturen, ik wilde je niet in gevaar brengen.'

'Wanneer?'

Alexander kijkt vragend op.

'Wanneer ben je bij mijn moeder geweest?'

'Ik heb een paar weken gewacht. Tot ik zeker wist dat ze me niet zouden volgen.'

De geluiden in het café verstommen. De lucht drukt langzaam tegen Julia's slapen. Ze kijkt naar Alexander en ze ziet zijn mond iets vertellen. Ze ziet het, maar ze hoort het niet. Ze hoort alleen haar moeder, door de hoorn van de telefoon, de avond voor ze haar nieuw leven begon.

Zeg niet dat je niet gewaarschuwd was.

Alexanders lippen vallen stil.

'Sorry, wat zei je?'

'Ik zei: toen wist ik genoeg.'

'Wanneer?'

'Toen je moeder zei dat ik je met rust moest laten, dat het voorbij was.'

'Wanneer zei ze dat?'

Alexander lacht weifelend. 'Heb je wel iets gehoord van wat ik zei?'

Julia staart hem aan.

'Je moeder wilde me niet zien. Avond aan avond stond ik aan haar deur, maar ze deed niet open. Ik belde haar, maar ze nam niet op. Ik wachtte haar op bij de ingang van de fabriek, maar ze liep langs me heen zonder op of om te kijken. Ik begreep er niets van en werd bang, bang dat er iets met jou was gebeurd en zij mij dat kwalijk nam, of zoiets. Hoe dan ook, ik gaf niet op, en op een dag opende ze de deur om me zonder een woord binnen te laten. Het sneeuwde, je was al vier maanden weg. Ze schonk thee voor me in in de keuken. Ze keek me niet aan. Ze breide, ging maar door met breien. Ze vertelde me dat je niet meer in Berlijn woonde. Waar wel, vroeg ik, maar dat wilde ze niet zeggen. Laat Julia met rust, zei ze, het is voorbij.'

Julia's hersenen schakelen snel. Vier maanden, dat moet in december zijn geweest. Een maand voor de bruiloft.

'Zei ze ook waarom?'

Alexander bestudeert zijn nagels. 'Ze zei dat je gelukkig was. En verloofd.'

De stilte om hen heen trekt vacuüm. Julia legt haar vingers tegen haar slapen.

'Ben je dat?'

'Weet je wat het is.' Tot haar verbazing vindt ze woorden voor de draaikolk in haar hoofd. 'Er is veel water in Amsterdam, heel veel water. Maar er zijn geen oevers.'

Julia hoort ergens wel een belletje rinkelen, maar het is net of het een geluid is uit een andere tijd, een ander universum.

'Julia!'

Ze beseft pas dat het haar naam is die werd geroepen als ze een smalle hand op haar schouder voelt, en schiet rechtop in haar stoel.

'Wat doe jij hier?'

Campbell laat zijn fototoestel van zijn schouder glijden. Zijn vingertoppen zijn rood van de kou. 'Ik liep langs het raam en zag je zitten,' antwoordt hij met een blauwe grijns. 'Wat een toeval, hè?'

'Nou, wat een toeval,' mompelt Julia met enige tegenzin. Ze schakelt snel weer over op het Duits. 'Alexander, dit is Campbell. Campbell is fotograaf.'

'Ik zie het,' glimlacht Alexander stijfjes. Hij staat half op en geeft Campbell een hand. Dan gaat hij weer zitten.

Als Alexanders vriendelijkheid oprecht zou zijn, denkt Julia, zou hij nu niet zijn rechterwenkbrauw optrekken. Als hij het zou willen, zou hij gul een stoel bijtrekken en Campbell met een ruim gebaar uitnodigen erbij te komen zitten. Maar hij doet het niet, en Julia voelt zich evenmin geroepen om de jongen uit zijn doelloosheid te verlossen.

Het blijkt niet nodig. Campbell bezit ook de fijngevoeligheid van een Andy Warhol en trekt zelf een stoel bij, waar hij op neerploft met een zucht alsof hij eindelijk is waar hij wezen moet. Blij slaat hij het ene been over het andere en kijkt van Julia naar Alexander en weer terug.

Wie is Alexander?

Als blikken konden spreken, zou de zijne deze vraag sissen.

Julia slaat haar ogen neer, op zoek naar iets onzinnigs om te zeggen. Eindelijk is het tijd om iets onzinnigs te zeggen, en nu schiet haar niets te binnen. Ze kromt haar tenen in de krappe neus van haar pumps en trekt een sigaret uit haar pakje.

'Ja graag,' zegt Campbell brutaal.

Ze werpt een strenge blik in zijn richting en schuift hem haar pakje sigaretten toe.

'Een heuse West,' lacht hij in onvervalst school-Duits en hij steekt er eentje aan met een zwaai van zijn aansteker voor hij de ruisende vlam onder haar sigaret houdt. De scherpe geur van benzine dringt in Julia's neusgaten.

Alexander schraapt zijn keel. 'Jullie zijn hier samen?' Zijn rechterwenkbrauw trekt een halve frons in zijn voorhoofd, stelt ze niet zonder enig genoegen vast. Ze is er nog, zijn jaloezie, die al de kop kon opsteken als Julia ook maar een mannelijke naam liet vallen. Niet dat hij haar niet vertrouwde, zei hij dan, het was het fenomeen man dat hij niet vertrouwde. Ik ben er zelf een, Julia, geloof me.

'Ja,' knikt Campbell behulpzaam.

'Nee.' Julia schudt haar hoofd. 'Wij zijn niet samen, we werken samen. Campbell is fotograaf, hij maakt de foto's bij mijn artikel.'

'Of jij maakt het artikel bij mijn foto's,' lacht Campbell met een onhebbelijke knipoog in Julia's richting. Hij leunt achterover en trekt aan zijn sigaret. Hij lijkt niet van plan snel op te staan. Waarom zou hij ook.

Alexander knikt beleefd zonder zijn blik van Julia los te maken. Ze lacht verontschuldigend. Ze hoort het barmeisje hun richting op komen en werpt een blik op haar horloge.

'Kom,' zegt ze terwijl ze haar sigaret uitdrukt en in een opwelling haar stoel naar achteren schuift, 'nu moest ik echt maar eens gaan.'

Geheel tegen haar bedoeling in staat Campbell op alsof hij een startschot heeft gekregen. 'Ik loop met je op.' Hij geeft Alexander een hand en slaat zijn fototoestel om zijn schouder. Met zijn sigaret nog in de hand wandelt hij naar de deur.

Alexander grijpt haastig over tafel, hij pakt Julia's hand.

Ze kijkt. Zijn gebruinde hand op haar huid.

Oost-Berlijn, oktober 1990, Alte Schönhauserstraße

Ze lopen zwijgend, Campbell anderhalve pas achter Julia. De zon schuift langzaam achter de hoge daken van Prenzlauer Berg. Julia strijkt haar haren achter haar oren en slaat haar armen stijf over elkaar.

'Je bent me gevolgd.'

Campbell blijft stil.

'Zo klein is Berlijn niet,' dringt Julia aan, en ze kijkt opzij. Campbell tuurt naar de stoep. Het kohllijntje onder zijn ogen is onveranderd dik en zwart. Zo zonder zonlicht lijkt zijn huid nog bleker.

'Nou ja,' mompelt hij. 'Niet echt gevolgd. Ik was gewoon wel uitgefotografeerd.' Zijn witte kuif staat fier rechtop in de wind; het is een haast komisch contrast met zijn ontwijkende blik. Julia kijkt ernaar en ziet nu pas hoe jong hij is – een jochie nog, alsof hij de leeftijd van Olivier en zijn vriendjes niet helemaal is ontgroeid. Ze ziet hem voor zich, rennend achter een bal in de tuin in Bussum. Er zijn geen vriendjes bij, geen jongetjes met poloshirts en witblonde haren en geen vader met een cabriolet.

'Het is niet erg.'

Campbell schopt zijn ene voet voor de andere. 'Ik weet niet,' zegt hij, terwijl hij zijn handen nog dieper in zijn zakken duwt, 'ik weet het niet zo goed hier in Berlijn. Ik weet niet waar ik moet beginnen.'

'Kom, jij bent toch de beste fotograaf voor de job?'

'Pak de uitzinnigheid, het rauwe, pak het Berlijn dat uit z'n ei kruipt,' imiteert Campbell de hoofdredacteur. '*By God*, leg het vast alsof we met z'n allen achtentwintig jaar lang achter die Muur hebben geleefd en nu bevrijd zijn, laat me die vrijheid voelen, die uitbarsting, laat het me zien spuiten, *my boy*, alsof ik zelf spuit.' Julia lacht, ze ziet de hoofdredacteur voor zich, de bril eeuwig in zijn haar, zijn grote handen in de lucht. Ze weet nooit helemaal zeker of hij acteert. Campbell haalt wanhopig zijn schouders op. 'Ja, lach maar, ik zit intussen met een opdrachtgever die een minutieuze schriftelijke verklaring van alle foto's eist zodat hij daar lekker met zijn groene pen commentaar bij kan zetten. En ik weet nog niet eens wat ik moet fotograferen, laat staan hoe.'

'Tja.' Julia ziet nu ook Campbell voor zich, op de rechte houten stoel tegenover de hoofdredacteur. Als een brugklasser in het kantoortje van de rector. 'Berlijn is ook gecompliceerd,' zegt ze voorzichtig. De jongen naast haar wordt kleiner met elke stap die zijn lange benen zetten; ze kan bijna haar vleugels om hem heen slaan.

Ze slaan de Schönhauser Allee in. De stad strekt zich voor hen uit in de vorm van een lange laan met afgebladderde huizen aan de ene kant en een braakliggend terrein aan de andere. Julia zucht geluidloos. Braakliggende terreinen roepen bij haar altijd een onbestemde triestheid op. Ze kent ze alleen van Berlijn; Noord-Belgische steden kunnen ze ook weleens hebben, maar daar zijn ze niet zoals hier. Gapende gaten waar de vanzelfsprekendheid van het bestaan verloren is, weggevreten door bulldozers en verteerd door een zielloze kavel waar graspollen tot kniehoogte groeien en zwerfhonden aan beschimmelde aarde vreten. Een verwaarloosd stuk wereld zonder functie, waar de stad liever haar ogen van afwendt en haar handen vanaf trekt, stiekem, ongemakkelijk misschien, maar zonder schaamrood. Zwijgen doet verdwijnen. Het is onvermogen, de stad is niet in staat een ziel te geven, of niet meer, wie zal het nog kunnen zeggen. Berlijn kan een ziel wegnemen, kapotschieten of de kop indrukken, laten bestaan of polijsten, maar een ziel geven, nieuw leven laten groeien en bloeien en loslaten, zoals een moeder haar kind? Ze zal het moeten, Berlijns postbellum is begonnen.

'Wie was die man eigenlijk?'

Julia volgt een kauw die snerpend op een gescheurde vuilniszak duikt. 'Welke man?'

'Die man met wie je in dat café zat natuurlijk.'

'Dat is Alexander. Alexander de Grote,' voegt Julia eraan toe met een trots die haarzelf verrast, 'een atleet uit de tijd dat Duitsland nog grote atleten had.'

'Ja?' Campbell kijkt verwonderd op. 'Zo ziet hij er niet uit.'

'Hoezo niet?'

'Nou ja. Zo sportief is zijn lichaam niet.'

'Niet meer,' verbetert Julia. 'Hij was heel gespierd. Hij had benen van graniet, daar kon je nog geen deukje in duwen. Hij rende de vierhonderd meter horden in 49 seconden.'

Campbell fluit tussen zijn tanden. 'En nu?'

'Nu rijdt hij op een fietstaxi.'

'Nee, ik bedoel tussen jullie,' zegt Campbell met een schuin lachje. Ergens in de afgelopen minuten heeft hij zijn ego hervonden.

'Wat bedoel je?'

'Laat me raden: hij is je ex-vriend of je ex-minnaar. Of je exbuurjongen die stil maar hartstochtelijk verliefd op je was.'

Julia kijkt opzij, minder verbaasd om de vrijpostigheid dan om de zorgeloosheid van deze jongen die zo-even nog leek te wankelen op het bestaan als een kalf dat leert lopen.

'Hij was mijn verloofde,' zegt ze zo cru mogelijk. 'Ik vluchtte en hij niet.' Ze trekt haar jasje dichter om zich heen.

Campbell schudt zijn kuif. 'Waarom vluchtte jij wel en hij niet?'

'Ik vluchtte omdat ik niet anders kon. Hij bleef omdat' – ja, zo is het – 'omdat hij niet anders kon.'

Haar hakken tikken pinnig op de straatstenen. De wind blaast in haar gezicht, houdt haar hele lijf tegen als een onzichtbare reuzenhand. Ze moet kracht zetten. Kracht zoeken, in haar tenen, in haar vingertoppen, in haar hakken.

'Gaat het?'

Campbell houdt zijn hand op haar arm en zoekt haar gezicht onder haar haren. Dat hinderlijke haar in haar ogen.

Julia knikt.

'Kom,' zegt ze en ze schudt de hand van haar arm.

Ze moet een nieuwe versie verzinnen. Voor zichzelf. Niet voor anderen, anderen hebben nooit een versie gehad. Als iemand ernaar vroeg, dan vertelde ze altijd dat ze alleen was gevlucht. Daar was geen woord aan gelogen, en als dat wel zo was, dan was dat nog geen punt, vond Julia. Die Nederlanders waren veel te nieuwsgierig naar haar zin. Ze wilden ook altijd weten hoe ze dan was gevlucht, met een opwinding in hun ogen die in schril contrast stond met de bezorgdheid in hun stem. Gezwommen, zei Julia dan. Onder water naar het Griebnitzmeer. Zonder uitzondering was groot ongeloof het effect van haar koele antwoord. Ze haalde dan haar schouders op. Zo slecht is het niet bedacht. Wisten zij veel waar het Griebnitzmeer lag, dat je er vanaf de oever vier uur over deed om daar te komen, hoeveel felle lampen er 's nachts onder zijn golven tuurden, hoeveel doorgeladen wapens in de luwte wachtten op drijvend vlees. Wisten zij überhaupt veel over het Duitsland waar zij vandaan kwam.

Nee, voor zichzelf. Ze heeft een nieuwe versie van haar verleden nodig.

'Kan ik hem niet fotograferen?' Campbell vraagt het langs zijn neus weg, alsof hij voorstelt om de tram te nemen die in de verte aan komt denderen.

Zou de tram nu tot in West rijden? Diep in Julia jubelt de plotse behoefte om met Alexander de tram te pakken en samen West in te rijden, naast elkaar met de neuzen tegen het raam, hun opwinding verstrengeld.

'Wie, Alexander? Waarom zou je die willen fotograferen?'

'Ik moet mensen hebben. Oost-Duitsers – hoe noemde je ze ook weer, Ossies. Mensen willen mensen zien, ook in de krant.'

Julia maakt een weids gebaar. 'Ziehier, Ossies genoeg, ze lopen hier gewoon in het wild.' Dat is niet helemaal waar, het is akelig stil op straat. Ze moet er toch om grinniken.

Campbell grinnikt niet met haar mee. 'Ze willen niet op de foto. Zodra ik mijn camera hier op straat tevoorschijn haal, deinst iedereen terug alsof ik een *gun* op ze richt.'

'Ja, vind je het gek! Tot voor kort waren een camera en een geweer ook min of meer synoniem aan elkaar,' zegt Julia. Haar arm herinnert zich de stevige greep van haar moeder, gisteren op straat. 'Bovendien, hoe zou jij het vinden als mensen je aanstaren alsof je uit de dierentuin bent weggelopen? Ossies zijn niet anders dan anderen, niet anders dan jij en ik, hoor.'

Nu grinnikt Campbell wel. 'Niet anders dan jij, nee.' Hij negeert haar blik en houdt zijn camera voor zijn oog. 'Misschien moet ik jou fotograferen.'

'Nee, bedankt, je hebt al genoeg foto's van mij gemaakt.'

'Maar die sportman van jou, die heeft ook nog een goed verhaal. Misschien zou je hem kunnen vragen.'

Julia schudt haar hoofd. 'Geen sprake van,' zegt ze beslist.

'Waarom niet?'

'God, wat stel jij veel vragen,' zegt Julia bits. 'Volgens mij ben ik hier de journalist.'

'Sorry hoor,' mompelt Campbell.

Ze kijkt opzij. Legt haar hand op zijn arm. 'Zo bedoelde ik het niet.' God mag weten hoe ze het wel bedoelde.

De lantaarns langs de stoeprand springen aan. Op alle andere plekken waar ze ooit is geweest, vindt Julia dat een fijn moment. Het betekent dat de wereld stopt met draaien en de schemering neerdaalt. Schemering is fijner dan dag en nacht. Ze omfloerst de scherpe randjes, zonder alles meteen te bedekken met de ondoorgrondelijke duisternis van de nacht.

Maar hier en nu missen de lantaarns hun uitwerking. Julia kijkt omhoog langs de sobere masten met bakelieten snavel en herkent een Oost-Berlijn dat ze al heel lang niet heeft gezien. De herinnering komt zonder woorden, zonder kader van een specifiek verleden. Alleen een rilling langs haar rug, kippenvel op haar bovenarmen, een holle leegte onder haar huid. Schemering in Oost-Berlijn was lang niet zo zacht als schemering in Amsterdam. Dat is evenmin veranderd.

We hebben gezien hoe het er in West uitziet.

Julia kijkt nog eens omhoog, naar het zuinige licht dat zijn koele schijnsel niet ver genoeg werpt om de brakke kavels te verlichten. Grillige schaduwen rijgen zich aaneen in een zwarte leegte, alsof Berlijn een nieuwe kloof heeft gekregen.

Ze zouden die masten moeten neerhalen en van die West-Berlijnse gaslantaarns moeten neerzetten die lijken op meerarmige kandelaars, of gietijzeren kroonlantaarns zoals in Amsterdam. Ja, dat is het eerste wat ze zouden moeten doen.

Campbell staat stil, abrupt alsof ze hem een vraag heeft gesteld waar hij nu pas de bedoeling van doorziet. 'Dit was de eerste keer dat jullie elkaar weer zagen.'

'Ja,' zegt Julia onwillig, en ze loopt door.

'Jezus.' Campbell dribbelt achter haar aan. 'Voor het eerst in, wat, tien jaar?'

'Elf jaar.' En vier maanden. Het was juli, die laatste keer. Juli en warm. De oever kleefde. Mieren liepen Julia's onderbroek in. De smog van de fabriek hing over het water. Alexanders armen waren bruin en sterk, spattend van leven.

'Elf jaar. Dat is nog te overbruggen. Dat is niet eens een mensenleven.' Campbell steekt zijn handen in de lucht. Hij weet niet half hoezeer hij ongelijk heeft. 'Hier heb je het, hier heb je je verhaal. Twee geliefden, verscheurd door de Muur, zien elkaar na elf jaar terug. Zij inmiddels een Westerse schone, hij een afgedankte atleet in een achenebbisj Oost-pak. Zie je het voor je?'

Julia loopt stug door.

'Wat, vind je het geen goed idee?'

Ze houdt stil en kijkt hem aan. 'Nee, ik vind het geen goed idee. Het verhaal van Alexander en mij is van Alexander en mij. Dat komt niet in de krant.'

'Ha, je wilt niet herkenbaar in beeld,' zegt Campbell met een vrolijkheid die Julia niet begrijpt. 'Laat maar aan mij over, ik fotografeer je zo dat je eigen zoon je nog niet zal herkennen.'

Julia grijpt Campbell bij zijn arm en omklemt deze stevig. 'Alexander komt niet in de krant, hoor je? Ook niet stiekem. Zweer dat je hem niet stiekem fotografeert.'

Campbells lach verdwijnt. Sullig kijkt hij haar aan. 'Hoe zou ik die man stiekem moeten fotograferen?'

Julia zucht en laat zijn arm, die onnatuurlijk dun voelt, los. Ze loopt verder. 'Laat ik het niet merken dat je ergens achter een vuilnisbak zit met die camera van je.'

'Erewoord.' Campbell zet twee vingers aan zijn lippen en spuugt erdoor. 'Maar dat betekent dus dat jullie elkaar nog eens zullen zien?'

Julia loopt resoluut door zonder nog acht te slaan op Campbell, die als een jengelende kleuter achter haar aan loopt.

Ze steken de Torstraße over en lopen de Alte Schönhauserstraße in, drie passen en ieders eigen gedachten tussen hen in. De straat is nog verlatener dan vanmorgen. De winkels zijn dicht en donker, in de huizen erboven branden lampen achter gesloten gordijnen. Alleen de man van de krantenkiosk is, op zijn dooie gemak alsof hij nog helemaal niet wil dat deze dag voorbij is, bezig zijn kranten naar binnen te rollen. Julia ziet een bankje, hetzelfde bankje waar ze vanochtend zaten, en blijft stilstaan. Nog even geen moeder om onder ogen te komen, geen vragen om te beantwoorden en geen vragen om te stellen, nog even niets.

'Ik ga nog een sigaret roken,' zegt ze met een vage beweging van haar hoofd in de richting van het bankje.

'Oké,' knikt Campbell, alsof ze hem een voorstel deed, en hij installeert zich op het bankje. Ze weet niet zeker of ze het fijn vindt dat hij aan haar vastgekleefd blijft als pindakaas aan een mes.

Julia kijkt op haar horloge. Het is zeven uur. Olivier moet over een half uur naar bed.

'Je moet niet meer bellen, mama,' had hij gemompeld toen ze hem gisteravond belde. 'Door de telefoon klink je zo raar.'

Wijze jongen. Hij heeft een oude ziel, had Margot gezegd toen hij nog heel klein was. Een oude ziel in een nieuw lijfje. Julia had hem Sasja willen noemen. Maar Ysbrand vond dat een rooie naam. Hij zei: 'Mijn eerste zoon wordt vernoemd naar de oudste nog levende man in onze familie. Mijn grootvader.' Olivier. Niet eens op z'n Frans uitgesproken, maar met de grachtengordel-r die Olivier zelf nu ook al begint te hanteren. Een keer corrigeerde ze hem, ze deed voor hoe je de r moest uitspreken: rollend, voor in de mond. Als een r. Hij keek haar aan met die ernstige bruine ogen van hem, en ze pakte hem snel beet en kuste hem net zo lang op zijn haar en wangen tot zijn ogen weer twinkelden.

Ze biedt Campbell een sigaret aan, hij steekt de hare aan. Zijn aansteker fluistert in het lantarenlicht.

'Hoe was dat eigenlijk, om hem weer te zien?'

Julia blaast langzaam de rook uit.

'Lijkt me raar na zo'n lange tijd.'

Julia zwijgt nog steeds. Hoe moet ze aan een jongen als Campbell uitleggen dat het weerzien met Alexander was als een weerzien met zichzelf.

'Ik bedoel, was je niet hartstikke zenuwachtig? Ik ben al nerveus als ik mijn ex nog maar uit de verte zie.' Hij grinnikt. 'Laatst zag ik hem, bekkend met een andere kerel. Ze deden het expres, ik zag het wel, mijn ex keek me recht aan met zo'n uitdagende blik in zijn ogen, weet je wel. Ik flipte.'

Julia kijkt opzij. Zijn kuif, zijn kohlpotlood, ze begint te begrijpen waarom hij liever Campbell in Amsterdam is dan Anton van Vleuten in Bussum. 'Een beetje wel,' zegt ze snel, om geen pauze te laten vallen die suggereert dat het haar iets uitmaakt of hij op mannen of op vrouwen valt of op allebei. 'Een beetje zenuwachtig was ik wel, ja. Vind je het gek.'

'Het zag er wel gezellig uit, jullie twee.'

'Ja?'

Campbell knikt. 'Als Sonny en Cher.'

Ze lacht onwillekeurig. 'Ach kom.'

'Serieus. Ik heb een zesde zintuig voor dat soort dingen, en de spanning in dat café was ontvlambaar als een polyester trui.'

Julia sluit haar ogen en snuift de koele avondlucht op. Zijn sterke armen onder dat pak. Zijn huid. Zijn huid op de hare.

Ze slaat haar armen over elkaar, haar smeulende sigaret als een schild voor zich.

'Je weet niet waar je het over hebt.'

'Ik weet heel goed waar ik het over heb. Ik weet misschien niet hoe jullie waren of zijn, waar hij zijn brood haalt of hoe fijn jij het hebt met je knappe dokter op de gracht, maar neem van mij aan: die man, die droomt vannacht over jou. En jij over hem.'

'Ach,' Julia wappert met haar hand, 'dromen zijn quatsch.'

Hij rolt zo uit haar mond, die stomme zin. De zin waarmee haar moeder de liefde een tik gaf, lang geleden, toen ze nog aanbidders had die bloemen op haar stoep legden en haar mee uit eten namen naar restaurants waar ze haar laatste kousen voor uit een la trok. 'Dromen zijn quatsch, Julia, hersenspinsels van lichtgelovige meisjes die denken dat het allemaal een sprookje is. Neem van mij aan, kind: dromen brengen je kinderen niet naar school en leggen geen vlees in de pan.' Julia was nog jong, ze wist niet wat hersenspinsels waren en dacht vanaf dat moment dat er spinnen in je hoofd zaten, maar ze was oud genoeg om te zien dat haar moeder bitter was. Bitterder dan haar vader, dan Frau Müller, dan alle andere mensen die ze kende in het echt en uit de boeken onder haar bed. Ze hoopte vurig dat het niet besmettelijk was.

Ze kijkt Campbell aan en herkent met een schok de blik in zijn ogen.

'De wereld zit niet zo simpel in elkaar als jij denkt,' zegt ze.

'Ik denk niet dat de wereld simpel in elkaar steekt.'

'Ik heb een kind dat denkt dat mama niet door de telefoon past. Zie je het voor je, dat mama simpelweg vaarwel zegt en naar Berlijn vertrekt?'

Mama, Peter zei dat ik van de melkboer was. Wie is Peter, lieverd? Peter uit mijn klas. Hoe komt hij daarbij. Dat zegt zijn moeder. Zijn moeder? Is het waar, mama? Nee, natuurlijk niet. Waarom zegt Peter dat dan? Omdat Peters moeder een trut is. Mama! Ja schat, sorry. Natuurlijk ben je niet van de melkboer, je bent van papa en mama. Mensen zeggen maar wat. Maar waarom? Omdat je zulke mooie bruine ogen hebt. Maar waarom? Omdat jouw papa blauwe ogen heeft, en ik ook. Daarom denken ze dat wij jouw mooie bruine ogen zijn gaan kopen bij de melkboer. Maar de melkboer verkoopt toch geen ogen?

'Waarom niet?' Campbell kijkt haar uitdagend aan.

'Waarom niet? Omdat ik niet meer het dubieuze voorrecht van de jeugd geniet om me met mezelf en alleen met mezelf bezig te houden. Daarom niet.'

'Ik houd me niet met mezelf en alleen met mezelf bezig,' merkt Campbell droogjes op. 'En dan nog, je kunt dat kind toch gewoon meenemen?'

'Dat kind heet Olivier, en Olivier heeft ook een papa. Die past nog minder door de telefoon.'

'Vindt je zoontje,' zegt Campbell en veelbetekenend kijkt hij haar aan.

Julia kijkt opzij. 'Luister eens, jongen, ik weet niet wat je allemaal in je hoofd haalt, maar er is hier geen sprake van een sprookje dat nog op een happy end wacht. Als er al een sprookje was, dan heeft dat zijn eind gehad en happy was het niet.'

'Weet je het zeker?' Weer die eigenwijze blik.

Ze zaten aan de oever. De modder op haar billen was droog en rul, ze pulkte hem er met haar vingers af. Alexander moest lachen. 'Hier,' zei hij, en hij gooide haar zijn T-shirt toe. Zijn grijze verwassen T-shirt. De zomer rook zwaar en zoet, de lucht plakte als een ingeloste belofte aan hun lijven. 'Hé,' lachte ze, ‘wat moet ik met dat vod?’ ‘Dit moet je met dat vod,’ gromde hij en hij wierp zich boven op haar. Ze gilde, en dacht voor even helemaal nergens aan.

‘Je hebt spinnen in je hoofd.’

‘Wat?’

‘Je gelooft in een sprookje dat nooit heeft bestaan en dat ook nooit zal bestaan,’ zegt Julia. Ergens in de schemering die plaatsmaakt voor een kille avond, fluistert de monotone stem van haar vader. Niets wordt zo vast geloofd als datgene waarvan wij het minst weten. Ze perst haar lippen op elkaar. Alexander had gelijk. Weten is niet altijd beter dan geloven.

Ze zaten aan de oever, verstrengeld in een vierbenige omhelzing. Julia had geen jas aan, alleen een gestreepte sjaal om haar nek geknoopt. Güdruns sjaal. Hij was dun en zo lang dat je hem wel vier keer rond je nek kon slaan. Ze had hem nooit gewassen, ondanks aandringen van haar moeder, die zogezegd ziek werd van de sigarettenrook die aan de grove wol kleefde en de hele gang deed stinken. Alexander draaide hem één, twee keer los van haar hals en knoopte de sjaal om zijn eigen nek. ‘Zo,’ zei hij, ‘nu zijn we een ménage à trois.’ Ze rook zijn haar, het zwemmen had restjes shampoo losgemaakt. ‘En bij een ménage’ – Alexander bukte naar een grasspriet en trok hem los – ‘hoort een echtgenote.’ Hij rolde de spriet op, draaide er een knoop in en pakte haar vinger.

Ze staat op, haar benen zijn koud en stijf. ‘Het is tijd dat ik eens naar huis ga.’

Campbell staat ook op. ‘Als je het goedvindt, ga ik met je mee.’

‘Waarom zou ik dat goedvinden?’

‘Omdat je niet wilt dat ik je morgen volg.’

Amsterdam, januari 1980, Prinsengracht

De zon schijnt op de sneeuw, die als een deken over de grachten ligt. Zelden heeft Julia gevonden dat het weer zo slecht bij haar gemoedstoestand past. Misschien alleen toen ze Güdrun gingen begraven op een oktoberochtend die warm was alsof de zon uit West was gekomen.

Het is 19 januari 1980. De ambtenaar achter de kansel recht zijn rug en kijkt de kerk aan. Een heuglijke dag, zegt hij.

Julia kijkt opzij. Links van haar zit een man die de hare wordt. Het had iedere andere man kunnen zijn, had ze de laatste weken vaak gedacht, maar het werd deze, en deze zou het na vandaag altijd zijn. Ysbrand houdt zijn ogen strak gericht op de ambtenaar, die vanonder zijn snor verhaalt over de historie van De Duif. De van oorsprong katholieke kerk aan de Prinsengracht zag zich wegens leegloop gedwongen haar neoclassicistische deuren te openen voor oecumenische, ja, zelfs seculiere gelegenheden zoals partijen van het studentencorps, waarvan de jongeman hier voor hem fervent deel uitmaakte alvorens zich in Berlijn te bekwamen in het chirurgenvak en terug naar Amsterdam te komen om zich in de echt te verbinden met deze lieftallige jongedame. Julia draait vlug haar hoofd terug in de gewenste richting. Ze voelt dat haar glimlach wordt gevangen door de fotocamera van Frederick, de jongste broer van Ysbrand die ze drie dagen geleden voor het eerst ontmoette. Gekleed in een hawaïshort en hemdsmouwen stond hij bij hen in de gang, met stralend witte tanden en door de Arubaanse zon geblakerde kuiten. Nu draagt hij hetzelfde jacquet als zijn broers en heeft hij er eenzelfde uitgestreken gezicht bij opgezet.

'Het is bijzonder spijtig dat op deze heuglijke dag niet iedereen in ons midden is,' spreekt de ambtenaar nu met zware stem. Julia legt haar handen op haar buik. 'Laten wij allen een moment stilte in acht nemen voor de weledelgestrenge professor doctor Van Marwijck.' Ysbrand pakt Julia's hand van haar buik en legt hem op zijn been. Hij slaat zijn ogen neer en de kerk is stil.

'Mama.' Julia draaide de telefoondraad om haar vingers.

'Julia,' stamelde Frida.

Julia zag voor zich hoe haar moeders ogen groot werden en haar neusvleugels verstrakten. Het was honderdvijfenvijftig dagen geleden dat ze elkaar voor het laatst hadden gezien, negenenvijftig dagen dat ze elkaar voor het laatst hadden gesproken. En dat was maar een kort en zakelijk gesprek geweest. Ik ga trouwen, mama. Met Ysbrand. We krijgen een kindje. Ik weet het, ik kan beter niet bellen. Maar ik ben veilig. Ik ben in Amsterdam. Ik schrijf je.

'Waar ben je?'

'In Amsterdam.' Julia draaide en draaide tot haar vingertop pijn deed.

'Waar?'

'In mijn witte paleis.' Ze drukte haar gelakte duimnagel in de roodaangelopen vingertop.

'Je moet me niet bellen, kind.' Frida klonk gejaagd en besmuikt, alsof haar stemgeluid alleen al een leger alarmbellen liet afgaan.

‘Ik weet het, mama.’ Ze drukte harder, nog harder. ‘Maar morgen ga ik trouwen.’

Onder de nok van De Duif zitten glas-in-loodramen, waar op een dag als deze rood en blauw zonlicht doorheen valt. De kerkmuren zijn te hoog voor de stralen om de grond te raken, maar ze zetten de bovenste helft van de kerk in een gloed die alle kerkgangers van vandaag boven henzelf uittilt. De kledij lijkt erbij uitgekozen. De jacquetten dansen tussen de banken door. De dames hebben zonder uitzondering een hoed op hun coiffure, de ene beduidend groter dan de andere, de ene feller van kleur dan de andere, maar allemaal getooid met veren of bloemen, alsof een hoofddeksel alleen niet genoeg is. Julia ziet mantelpakjes van een stof die haar doet denken aan het pakje dat ze in de bladen van Margot had gezien. Witte hakschoenen met zwart lakleer. Ragdunne kousen die alleen zichtbaar zijn omdat ze glanzen als babyolie. De voornaamste dame van allemaal heeft een ensemble aan dat Julia het mooist vindt. Het is van grove wol met een fijn roze-grijs-wit dessin erin geweven en heeft een jasje dat recht op de heup valt van het rokje dat zich decent boven de knieën sluit. Ze draagt er een roomkleurige parelketting bij die ze ogenschijnlijk nonchalant een paar keer om haar hals heeft geslagen en houdt een pijpje in haar hand met aan het uiteinde een smalle sigaret, die oplicht bij elke trek. Als ze Julia ziet, opent ze haar armen en breken haar gestifte lippen in een lach zonder ogen.

‘Juliëtte, liefje.’ Twee zoenen in een zoete lucht. Julia vangt een zweem op van nagistende alcohol. ‘Welkom in onze familie. Dat was een mooie dienst, niet?’

Julia zou wel willen antwoorden, maar de ogen van de vrouw die haar schoonmoeder is dwalen al weg, langs haar heen, langs de gasten – waar gaan ze naartoe, die twee donkergrijze kralen in hun gerimpelde kassen?

'Nu, je moest je maar eens opfrissen.'

'Ja. Ja, natuurlijk.' Julia's hoofd maakt een automatisch buiginkje en haar vingers tillen behendig haar sleep op. 'Tot straks.'

Mevrouw Van Marwijck trekt haar mond in een minzame plooi. Julia weet zeker dat de toegeknepen kralen haar volgen tot voorbij het spreekgestoelte, voorbij de champagnepiramide en de kluwen gasten die zich rond Ysbrand heeft verzameld, helemaal tot aan de zijdeur waarachter de pedicure, manicure, kapster en ontwerper op haar wachten.

De eerste maakt Julia's sleep los, zet haar in één beweging door op een stoel en maakt de riempjes van haar schoenen los. De tweede pakt haar hand en maakt haar nagels schoon met een vochtig watje. De derde trekt een paar van de duizend schuifspeldjes uit haar knot en de vierde steekt demonstratief de handen in de zij en beziet haar met een trots alsof hij kijkt naar zijn dochtertje dat ter communie is gegaan.

'Dat heb je heel mooi gedaan, liefje.'

Hij is de enige man van het team en volgens mevrouw Van Marwijck beslist degene die Julia's jurken moest ontwerpen. Zijn winkel aan de Van Baerlestraat ligt op een steenworp afstand van het ouderlijk huis van Ysbrand. Alle keren dat Julia moest doorpassen – iedere woensdag- en zaterdagmiddag van de afgelopen weken – nam de weduwe haar vier ridgebacks aan de lijn en liet ze de auto voorrijden om de hele delegatie een blokje om te brengen. We willen natuurlijk niet hebben dat de jurken te strak worden, zei ze dan met een knik naar Julia's buik, die met de week boller werd. De overige drie dames hebben zich een voor een zonder aankondiging aan de Keizersgracht gepresenteerd als zendelingen van mevrouw. Toen Julia er iets van zei tegen Ysbrand, haalde die zijn schouders op.

'Ze wil gewoon dat het een mooi huwelijk wordt.'

Julia hield voor zich dat ze niet begreep hoe een pedicure, manicure en kapster een huwelijk mooi kunnen maken.

Als ze een kwartier later de kerk weer binnentreedt, een verse blos op haar wangen en een opgepoetst kunstwerk in het haar, staat iedereen al buiten op het bordes. Julia loopt door de koude kerk het zonlicht tegemoet, de stof van haar jurk sleept achter haar aan over de natuurstenen vloer. Net als ze de stem van mevrouw Van Marwijck hoort vragen waar Juliëtte-liefje toch blijft, ziet ze in de schaduw van het voorportaal iets bewegen. Een arm, een schouder. Ze kijkt nog eens goed en ziet in de coulissen twee gestaltes, de een smal en rijzig, de ander hobbelig en struis. Ze blijft staan, aarzelend op de bal van haar voeten. Tafzijde botst tegen haar kuiten.

'Papa.'

De lange gestalte maakt zich los van de duisternis.

'Moeten jullie niet op de foto?' vraagt Julia.

De struise gestalte komt achter Laurent aan en trekt een zuinige blik. 'Het is een familiefoto.'

'Jullie zijn toch ook familie?'

'Nou ja, ik strikt genomen niet.' Margot zet haar handen in haar zij terwijl ze haar blik afwendt en over het luidruchtig lachende gezelschap buiten laat gaan.

'We zijn maar met z'n tweeën,' zegt Laurent zacht. Julia kijkt in zijn glimlach en hoopt dat hij hem en haar bedoelt. 'Hier, mijn kind.'

Onhandig steekt hij haar een in bruin papier gestoken pakje toe. Het is klein, plat en rechthoekig als een doosje van de juwelier. Julia kijkt steels naar buiten, waar ze de vragende ogen van Ysbrand ontmoet. Even maar, hoopt ze te wenken, even geduld. Ze heeft haar vader nog niet gesproken, alleen vluchtig gezien toen ze aan de arm van Ysbrand het gangpad door liep en al te zeer door zenuwen werd opgeslokt om haar blik aan iets of iemand vast te haken. Het bruine ribfluweel van zijn pak stak vaal af tegen de jacquetten en pakken om hem heen, dat ving ze wel op. Na de plechtigheid was er geen vaalbruin te bekennen in de zee van glimmend zwart.

'Waar waren jullie?'

Haar vader maakt een afwerend gebaar. 'Even een rondje maken.'

'Een rondje?'

'Je vader wilde nu eindelijk die grachten weleens zien,' zegt Margot met een knipoog.

Julia kijkt haar zo koeltjes mogelijk aan, maar Margot richt haar licht geamuseerde blik weer op de drukke bedoening buiten. Ze heeft een zwarte jurk aan, met grote grijze bloemen bedrukt. Julia vermoedt de kundige hand van Natasja, die evenwel niet heeft kunnen voorkomen dat haar werkgeefster eruitziet als een hoen met pauwenveren. Margots ogen en lippen zijn onopgemaakt en haar grijze haren zijn voor de gelegenheid opgestoken in een wrong. Ze siert het enige onbedekte hoofd van deze dag met de spottende arrogantie die haar eigen is. In een fractie van een seconde stelt Julia zich voor hoe haar moeder zich voor deze dag in een goedkoop maar geraffineerd ensemble had gestoken, als ze de kans zou hebben gehad.

'Wat zeg je?'

'Morgen gaan we trouwen.'

'Aha, dat is mooi, kind. Dat is mooi.'

'Ik wil niet trouwen.'

De woorden rolden als vanzelf van haar lippen, door de slaapkamer, over het Franse parket en langs het bloemetjesbehang omhoog naar het gepleisterde plafond dat als een tableau is versierd met krullen en tierelantijnen in de hoeken. Julia drukte haar voorhoofd tegen het koele raam en keek naar buiten, naar de mensen die voorbijliepen beneden op de gracht, hun handen diep in hun zakken gestoken, hun hoofd een slag gebogen tegen de wind die er niet was. Ze liepen door een bladstille vrieskou en alles, elke vezel van hun dik ingepakte lichaam, straalde uit dat ze liever niet over deze stoep zouden lopen, in deze stad, in deze avondschemering. Ze moesten eens weten, dacht Julia, hoe blij ze mogen zijn om daar te lopen. Zij had er alles voor overgehad om over de gracht te lopen en de kou te voelen, woelend door haar haren die zouden opwaaien, snijdend tegen haar wangen die ervan zouden gloeien en zo zouden bewijzen dat ze leeft. Ze zou haar hoofd dwars door de ruit duwen tot het antieke glas brak, ze zou het hebben gedaan als ze daarmee de onzichtbare muur tussen haar en daar had kunnen verbreken.

'Wat klets je nu toch, kind.'

'Ik wil niet trouwen.'

'Ach, quatsch. Je hebt gewoon trouwkriebels.'

'Ik heb geen trouwkriebels. Ik wil niet trouwen.'

Een stilte, te kort eigenlijk om er een te zijn, maar lang genoeg voor Julia om haar moeders afkeuring te horen, haar weigering te vragen waarom niet.

'Twijfels horen erbij, Julia,' zei haar moeder met een stem die zo kil was als het glas tegen Julia's vingertoppen. 'Je neemt ze mee naar het altaar en laat ze daar, dat is wat je doet met twijfels.'

'Ach, natuurlijk,' zuchtte Julia. Zij mocht zich dan zelf veranderd voelen alsof ze in een nieuw lichaam was gestapt, in haar moeders leven was natuurlijk niets of nauwelijks iets veranderd, anders dan het feit dat ze haar jongste dochter nu ook kwijt was, maar zelfs dat was weinig nieuws voor Frida; de enige verandering die dat teweeg had kunnen brengen was dat ze alleen maar nog bitterder was geworden. Julia sloot haar ogen en had er een ogenblik spijt van dat ze naar boven was gerend en haar moeders nummer had gedraaid. Het was een impuls geweest, om te ontsnappen uit de groep nepvriendinnen beneden, om een vertrouwde stem te horen, iemand die door de nevel heen kon prikken die al sinds haar aankomst in Amsterdam om haar heen hing. Maar natuurlijk kon haar moeder dat niet zijn, haar moeder, voor wie liefde een praktische aangelegenheid was en die sowieso al nooit had geloofd in de idyllische plannen van Julia en Alexander.

Ze haalde diep adem en duwde voorzichtig een babyvoetje uit haar nier. 'Het zijn geen twijfels, mama. Ik weet het zeker.'

Laurent haalt verontschuldigend zijn schouders op. 'Ik wilde je niet in de weg lopen.'

'Dat doe je niet, papa.'

Haar vader zegt niets, maar vouwt glimlachend zijn handen om de hare, die nog steeds zijn pakje vasthouden. Zijn handpalmen stralen een geruststellende warmte uit, alsof hij hier en nu weer de vader is van de foto op haar nachtkastje.

Uit het geroezemoes buiten stijgt een lach op die knerpend door de kerk gaat, en alsof het een bevel was trekt Laurent schielijk zijn handen terug. Een moment lang staart hij langs Julia heen. Als een koorddanser op de rand tussen leven en dood balanceert zijn lange lijf op zijn voeten alsof ze niet van hem zijn, twee ledematen waarvan hij niet helemaal zeker is.

De kou in de kerk trekt omhoog en Julia verlangt naar de warmte van haar vaders handen om haar blote schouders.

'Hier.' Margot steekt haar een groot, zacht pak toe, in hetzelfde bruine papier gestoken. 'Pak dit eerst maar uit, dan kun je het beste voor het laatst bewaren.'

Even is er een onhandig moment waarop Julia met beide

handen gevuld met cadeaus staat, het ene klein en plat, het andere te groot voor haar gemanicuurde vingers, die nog steeds trillen als de pootjes van een nerveuze poedel. Margot pakt het kleine pakje over. 'Neem je tijd, chérie, het is jouw bruiloft.'

Julia negeert het 'chérie'. Er is geen tijd voor nuances, dat snapt zij ook wel. Ze scheurt het papier los en gooit het op de grond. Haar handen omvatten een stof die zacht is als kasjmier en tegelijkertijd ruig als paardenhaar. Ze herkent onmiddellijk het wollige wit met de donkergrijze print erin geweven en voelt onwillekeurig haar wangen warm worden.

'Je hebt het onthouden,' mompelt ze.

Als ze het jasje uitvouwt valt de helft van de stof op de grond. Margot raapt het snel op. Ze houdt de broek voor Julia's buik.

'Helemaal Julia,' ratelt ze, rücksichtslos voorbijgaand aan het feit dat die buik nog zeker drie maanden niet in die broek zal passen, en dat ze los daarvan geen idee heeft wie Julia is.

Dat zou ze Margot willen zeggen, en ze had het misschien wel gedaan ook, als op dat moment niet een snerpende stem door de kerk schalde.

'Juliëtte, waar blijf je toch?'

Korte pasjes komen hun kant op getikt. Julia doet vlug een pas achteruit en strijkt haar jurk glad.

'Juliëtte-liefje, wie zijn deze mensen?'

'Dit, moeder, is mijn vader, Laurent Günzburg, en dit is Margot.'

'Charlotte van Marwijck-van Alphen. Liefje, kom je nu mee naar buiten? De fotograaf heeft geen uren de tijd.' Terwijl een serveerster op het driftig knippen van mevrouw komt aangesneld om de cadeaus over te nemen, kan Julia nog net een verontschuldigende glimlach naar haar vader werpen.

'Jullie blijven toch nog?'

Laurent knijpt zijn ogen even dicht op een manier die zowel

ja als nee kan betekenen. Ze klemt haar vingers om haar vaders arm.

'Wat weet je zeker?'

'Het moet Ysbrand niet zijn.'

'Dat is natuurlijk onzin.'

Frida zei het peinzend, alsof ze met haar hoofd heel ergens anders was.

'Hoorde je wat ik zei? Het is niet Ysbrand.'

'Ja, ik hoor je, kindje, maar dat is natuurlijk onzin.'

Het was niet haar stem, haar opnieuw afwezige toon, die door de mist heen prikte. Het was wat ze zei. *Kindje.* In al haar afwezigheid noemde Frida haar *kindje.* En de nevel brak uiteen in duizenden druppels die Julia's ogen vulden, over haar wangen stroomden, over haar lippen, ze proefde het zout, langs haar nek in haar col, de wollen col van de jurk die Charlotte haar had gegeven omdat het een mooi jurkje was om haar meisjesbestaan in af te sluiten. *Want vanaf morgen ben je mevrouw Juliëtte van Marwijck.*

'Ik wil niet, mama,' zei Julia, en de woorden waren als een ventiel dat werd losgetrokken om vrij baan te geven aan de spanning in haar lichaam. Ze zakte door haar knieën en liet zich langs de verwarming naar beneden glijden, de buik als een bal tussen haar benen. Ze legde haar hand erop en voor het eerst voelde de bolle buik als haar buik, *hun* buik. 'Ik wil niet doen alsof. Ik ben niet gevlucht om te doen alsof.' Ze brult inmiddels zo hard dat haar nepvriendinnen beneden haar misschien zullen horen, maar het kan haar niets schelen. 'Het is Alexander.'

Buiten op het bordes staat nog niet iedereen in de juiste volgorde. Op de grijze, brede traptreden voor De Duif schuiven chique hakjes zenuwachtig heen en weer tussen glimmende brogues, van links naar rechts of nee toch nog een stukje naar links dan kunnen Frederick en Marie-Anne nog naast de bruid, waar blijft de bruid? Charlotte staat als een schooljuffrouw voor de groep en probeert eroverheen te kijken, Julia ziet de roze-met-zwarte veren van haar hoed net boven het pothoedje van Marie-Anne uitsteken. Ze steekt haar hand op. Hier ben ik. Ah, kijk aan, als iedereen nou even opzijgaat, dan kan onze bruid erdoorheen, *faites attention*, mensen, dat u niet tegen ons nageslacht stoot, merci.

Julia baant zich een weg door de wolk van parfum en gezichten zonder naam en neemt haar plek in naast Marie-Anne. Nee, niet naast Marie-Anne, naast Frederick. Man om vrouw, *s'il vous plaît*, sist Charlotte. Ergens vandaag is ze, zoals ze dat meestal doet wanneer het gezelschap uit meer dan twee bestaat, overgeschakeld op het Frans, althans op Franse tussenwerpsels die Margot en Laurent waarschijnlijk fijntjes hun wenkbrauwen doen optrekken.

Julia kijkt over haar schouder, maar de gezichten zonder naam hebben de haag al gesloten en ontnemen haar het zicht op de plek waar ze haar vader en Margot abrupt heeft achtergelaten. Haar blik kruist die van Marie-Anne, die haar glimlachend toeknikt. Julia glimlacht terug. Marie-Anne vindt ze wel aardig, de aardigste in elk geval van de nieuwe vriendinnen die gisteravond op uitnodiging van Charlotte, zo veel is zeker, op de stoep stonden met flessen champagne, een fles shandy en een tas vol maskers, crèmes en dure parfums die Julia mocht, nee, moest uitproberen. Terwijl de anderen zich lachend op de champagne stortten, plopte Marie-Anne rustig de fles shandy open om twee glazen in te schenken, een voor Julia en een voor haarzelf.

'Hoever ben je?' vroeg ze met een knik naar de buik.

'Bijna tweeëntwintig weken,' antwoordde Julia. Ze was al zo gewend aan de leugen dat ze er zelf bijna in geloofde.

Marie-Anne keek verrast. 'Zo, dan heb je al een flinke buik.'

'Het is ook een flinke baby,' zei Julia snel. Voor het eerst voelde ze een blos opkomen. 'Het is een jongen.' Ze flapte het eruit. Ysbrand wilde het tegen niemand zeggen, behalve tegen Charlotte, maar Julia had ineens net zomin controle over haar woorden als over de gloed die haar wangen nu vuurrood moest kleuren. Ze keek haast verontschuldigend naar Marie-Anne, die samenzweerderig knipoogde.

'Jongens zijn altijd flink,' lachte ze en ze hief haar glas om te proosten.

Jongens zijn altijd flink, dat had de vroedvrouw ook gezegd. Maar deze was wel erg uit de kluiten gewassen. Wisten ze wel zeker dat hij op 3 september, eh, verwekt was? Ja, dat wisten ze zeker. Maandag 3 september, een andere datum was onmogelijk. Enfin, dan is 26 mei de uitgerekende datum. Maar rekent u erop dat hij eerder komt.

Julia had geknikt, daar houden we rekening mee, en haar handen op de buik gelegd.

26 mei minus drie weken en twee dagen is 3 mei.

3 mei is een zaterdag, net als vandaag, zaterdag over vijftien weken.

Gaat het goed? vragen de ogen van Marie-Anne.

Julia knikt en draait haar hoofd naar de camera. Een lach, twee lachen, drie keer lachen en het is voorbij.

'Hoezo, het is Alexander?'

'Het is van Alexander, mama. Mijn kind, jouw kleinzoon is van Alexander.'

De woorden rolden zwak uit haar mond, maar ze wist zeker dat haar moeder ze had gehoord. Er viel een stilte die beslist lang genoeg was om er een te zijn, een pijnlijke, want ze wist dat haar moeder zweeg omdat ze nog steeds haar moeder was, een moeder die haar dochter Julia noemde, of kind, geen *kindje*.

'Tja, kind,' antwoordde haar moeder uiteindelijk op zakelijke toon, 'maar Alexander heeft je laten vallen. Dat is wat mannen doen, zeg niet dat je niet gewaarschuwd was. Maar jammerend zelfmedelijden is daarop het antwoord niet. Dus jij gaat naar beneden, jij laat je morgen ophalen en jij gaat trouwen. Hoor je me? Je bent niet gevlucht om in je eentje een kind op te voeden.'

Julia sloot haar ogen. Ze rechtte haar rug en zoog haar longen vol, hield de lucht even vast, een paar tellen, nog iets langer, lang genoeg. Ze knikte in het niets en mompelde tegen Frida dat ze gelijk had. Dat had ze ook.

Voor ze haar ogen opende om op te staan en zich weer bij haar nieuwe vriendinnen beneden te voegen, wist ze al dat hij terug zou zijn, de nevel.

De fotograaf steekt zijn duim nog niet in de lucht of Julia tilt haar rokken al op en draait zich om.

'Wacht even,' mompelt ze tegen Ysbrand en ze baant zich weer een weg door de parfum en gezichten, terug naar binnen, naar de koele leegte van de kerk. Al op de drempel ziet ze dat ze er niet meer zijn. Ze kijkt links achter zich, rechts, ziet alleen glimmend zwart en hoofden met hoeden. Ze laat haar rokken los. Rechtsachter in de kerk staat de serveerster die haar cadeaus heeft aangenomen. Buiten stijgt de hoge stem van Charlotte uit boven het geroezemoes van de gezichten zonder naam, die zich nu zullen moeten opsplitsen in verschillende auto's die vermoedelijk al een lange stoet op de Prinsengracht vormen, de koets voorop.

'Julieeeeeeeeette.'

Julia loopt langzaam de kerk in. De serveerster gebaart, loopt vlug naar achter de bar en komt terug met twee cadeaus. Eentje heeft Julia al uitgepakt, ze strijkt er met haar hand overheen en geeft het met een knikje terug aan het meisje.

'Dat mag naar de Keizersgracht.'

Dan pakt ze het kleine platte pakje en draait zich om. Ze scheurt het papier los en gooit het op de grond.

Oost-Berlijn, 1990, Mulackstraße

In het trappenhuis hangt de zeurderige lucht van jus. Als Julia de deur naar haar moeders flat opent, zwelt de geur aan.

'Ben je daar, Julia?'

Julia hangt haar jas op in de nauwe gang en gaat Campbell voor naar de keuken. Haar moeder staat met de rug naar hen toe aan het aanrecht. Op het fornuis staan drie pannen onder een ronkende afzuigkap.

'Nu, beter laat dan nooit zullen we maar zeggen.' Frida buigt zich over de pannen.

'Sorry,' mompelt Julia.

Ze kijkt naar de strik van haar moeders schort, die op en neer wipt in het ritme waarmee Frida in een pan roert. Het aanrecht is bezaaid met pollepels, pakjes boter en maïzena, een halve citroen en glazen potjes waarop stukjes witte tape in zorgvuldig handschrift de inhoud vermelden. Julia kan zich niet herinneren haar moeder ooit te hebben zien koken. Het tafereel is als een vlek op haar netvlies, een vlek die zich niet weg laat knipperen.

'Moeder, wat doe je?'

'Wat bedoel je?' vraagt haar moeder zonder om te kijken.

'Er was een tijd dat je spiegelei op tafel zette met een pot augurken ernaast.'

Frida legt een tel haar handen op het aanrecht. 'En er was een tijd dat jij met mij meeging naar de tuin,' zegt ze, en daar gaan haar handen weer, over het aanrecht naar de pannen op het fornuis, de potjes met etiketten. 'En dat je mij mama noemde.'

Haar laatste woorden vergingen in het sissende lawaai van de pan waarin ze twee gehaktballen legt, maar Julia heeft ze gehoord. Ze kijkt naar de rug van haar moeder, de kromming onder de afhangende schouders, en ze weet niet goed waarom.

Waarom ze moeder zei, waarom haar keel aanvoelt als schuurpapier, waarom haar oren zich willen sluiten als een schelp bij het horen van Frida's stem.

De stem die echoot in haar hoofd.

Julia staart naar de rug van haar moeder, niet in staat te beslissen of ze haar haat.

Een bescheiden kuchje maakt Julia erop attent dat Campbell er ook nog is. Ze laat haar moeders rug los en trekt de jongen de keuken in.

'Ik heb iemand meegenomen.'

Frida draait zich om, schielijk als een kind dat betrapt wordt. 'Gut.' Ze duwt zich tegen het fornuis en wringt haar schort in haar handen. Dan laat ze haar blik vallen op Campbells geverfde haar, zijn zwartomrande ogen, zijn leren jack en zijn dunne benen in zijn strakke zwarte broek. Haar blik glijdt in één beweging door naar Julia. 'En wie mag dit wel zijn?'

'Dit is Campbell.' Julia legt haar hand op een knokige schouder.

Campbell doet een pas naar voren en steekt zijn hand uit. Frida blijft onbeweeglijk staan, haar bleke ogen zonder te knipperen op Julia gericht.

'Campbell is de fotograaf,' zegt Julia wrevelig. Haar moeder staat erbij als een vogeltje dat op het punt staat voortijdig uit het nest te kukelen. 'Je weet wel, van de krant. Hij maakt de foto's bij mijn artikel.'

'O.' Frida knikt een beetje hulpeloos en laat haar blik over tafel glijden, waar twee borden tegenover elkaar staan gedekt, twee glazen en een waterkaraf. 'Ik heb maar twee ballen,' mompelt ze, eerder tegen zichzelf dan tegen Julia of Campbell, die zijn hand in zijn zak heeft gestoken en geamuseerd om zich heen kijkt. De kleine keuken met het luik naar de woonkamer, met de versleten bank en de televisie in de kast van berkenhout, het moet hem allemaal onooglijk ouderwets voorkomen.

'Hij komt niet eten,' zegt Julia snel, 'hij is hier om foto's te maken.'

Frida kijkt op. 'Foto's?'

'Ja, van jou. Hij heeft foto's nodig van Oost-Duitsers en hij kent hier geen mens. En op straat wil niemand.'

'Nee, wat dacht je.' Frida fronst haar wenkbrauwen en onderwerpt Campbell nog eens aan een wantrouwend onderzoek. Dan kruist haar blik die van Julia. 'O, en nu wilden jullie mij?'

'Het zijn maar een paar plaatjes, moeder, je zou hem enorm helpen.'

'Ons,' zegt Campbell.

'Je zou *ons* er een groot plezier mee doen,' herhaalt Julia.

Frida zwijgt zenuwachtig, heen en weer geslingerd tussen ijdelheid en vrees. Julia ziet het aan de manier waarop haar vingers haar keukenschort gladstrijken.

'Wie weet,' oppert Julia, 'misschien ziet papa het artikel wel.' Dat is lulkoek, want Laurent leest al jaren geen kranten meer, en zal voor Julia's artikel geen uitzondering maken. Het is een lafhartige poging haar moeder over de rand te duwen, en dat weet Julia. Maar ze heeft geen verweer. Plotseling wil ze bijzonder graag dat Campbell haar moeder op de foto zet, ze wil dat hij haar bleke gezicht en fragiele rug vangt in zijn lens en vastlegt, tastbaar maakt met een foto waarop Julia de lijnen kan volgen met haar vinger *waarvan ze de nagel over dat bikkelharde gezicht kan krassen.*

Haar poging heeft het gewenste effect. Zodra het woord 'papa' valt recht Frida haar rug en krijgen haar ogen het begin van een glans die Julia lang niet heeft gezien. 'Denk je?' vraagt ze met een stem die licht trilt.

Julia haalt haar schouders op en knikt half, maar haar moeder heeft zich al omgedraaid naar het fornuis om alledrie de gasknoppen uit te draaien. Ze trekt haar schort los en gooit het slordig over een keukenstoel. 'Eén minuut,' mompelt ze en ze haast zich tussen Julia en Campbell door de keuken uit.

'Voor ik het vergeet,' zegt Frida terwijl ze haar hoofd om de deurpost steekt, 'Ysbrand heeft voor je gebeld, en een man wiens naam ik niet heb verstaan. Hij moest je dringend spreken, of je terug wilde bellen zodra je je bevallige voet over de drempel had gezet. Zijn woorden.'

'Wie, Ysbrand of die man?' Julia werpt een vlugge blik op de klok, het is tien over half acht.

'Die man,' zingt haar moeder door de gang.

Die man, dat kan er maar een zijn, daar zijn Campbell en Julia het snel over eens.

'Günzburg!'

'Hoe komt u aan mijn nummer?'

'*Honey, I'm a journalist*. En jij?'

'Sorry?'

De hoofdredacteur zucht. 'Ik hoor het al. De journalist in je is nog niet opgestaan.'

'Nou ja. Ik ben er net.'

'Ik? We, zul je bedoelen. Je bent met z'n tweeën, Günzburg, vergeet dat niet. Hoe staat het met Campbell?'

'Dat zou u hemzelf moeten vragen.'

'Ik vraag het jou, jij bent de baas, jij kent Berlijn, jij bent zijn ogen. *You'd better make him tick, honey*; zonder foto's geen verhaal. Heb je al een verhaal?'

'Ik ben bezig. Ik zoek een eerste zin.'

'Een eerste zin? *By god*, Günzburg, misschien moet je eerst zin máken. Heb je al mensen gesproken?'

'Een vriend,' antwoordt ze onwillig.

'Een goede journalist heeft geen vrienden.' Hij kauwt hoorbaar op iets, wat een groene balpen zou kunnen zijn, of de poot van zijn bril, die hij bij hoge uitzondering en alleen voor dit doel uit zijn haar pleegt te halen. 'Wat doet die vriend, heeft-ie een verhaal?'

'Nee.'

Julia stelt zich voor hoe de hoofdredacteur zijn bril zou opvreten bij het horen van Alexanders verhaal. De gewezen sportgod als symbool voor de gewezen heilstaat. Die wilde vluchten, maar niet kon.

'Ik wel,' briest de hoofdredacteur. 'Je wilt er misschien liever bij gaan zitten.'

Julia zit, op de ribfluwelen bank in de woonkamer die al lang de hare niet meer is. Op de kleurentelevisie, die haast een kwart van de muurkast in beslag neemt, verschijnt een foto van een grijze man naast een nieuwslezer met een onnatuurlijke scheiding in zijn haar. De grijze man is Erich Honecker. De nieuwslezer, een overblijfsel uit de jaren zestig, vertelt met een uitgestreken gezicht dat de oud-partijleider zich nog steeds in het militair hospitaal Beelitz bevindt, en wegens een slechte gezondheid geen gehoor kan geven aan de dringende oproep te verschijnen voor het Berlijnse hof.

'Zit je?' De hoofdredacteur klinkt ineens opvallend normaal. 'Luister. Die geheime dienst van jullie had niet alleen honderdduizend ambtenaren in officiële dienst, maar daarnaast nog eens een veelvoud daarvan aan burgers in informele dienst.'

'Mm-mm.'

'Honderdduizenden spionnen dus,' herhaalt hij. 'Honderdduizenden mensen die verslag deden van hun buren, hun klasgenoten, hun medewerkers, hun nichten, hun ooms en al wie in de ogen van de Stasi verdacht was of kon zijn.'

'Mm-mm.' Julia schuift haar voeten uit haar pumps en duwt ze in het vale tapijt, waar de motten rafelige gaten in hebben gevreten.

Op televisie verschijnt een advocatentype in beeld om te vertellen dat Honecker nooit weet heeft gehad van een direct schietbevel aan de Oost-West-Duitse grens en dat hij geen enkele verantwoordelijkheid neemt voor de doden die zijn gevallen, al betreurt hij ze uiteraard ten zeerste. Julia klemt haar tanden op elkaar. Honecker is 78. Precies zestig jaar ouder dan Güdrun is geworden. Meer dan vier keer zo veel jaren als Güdrun heeft geleefd. Zes jaar meer dan vier keer, om precies te zijn. Eenderde van achttien.

'Günzburg, luister je wel?'

'Natuurlijk,' antwoordt ze rustig. 'U vertelt mij vooralsnog niets nieuws.' Margot vertelde haar zoiets een half jaar geleden al. Julia heeft haar moeder opgebeld en die zei dat zoiets absoluut onmogelijk was, een hersenspinsel van die vrouw, want ze had al snel geraden dat die onzin bij dat mens van Laurent vandaan kwam. Julia drong niet aan. Soms is geloven ontegenzeggelijk beter dan weten.

'Hmm,' gromt de hoofdredacteur. Ze hoort dat hij een sigaret aansteekt. 'Maar dit weet je nog niet.' Hij blaast hoorbaar de rook door zijn lippen. 'Ze gaan die archieven opengooien.'

Julia staat op en zet de televisie uit. 'Wat zegt u?'

'Die Stasi-dossiers. Die rapporten die jouw leuke landgenoten over hun buren maakten. Bonn praat over een wet die ze toegankelijk moet maken.'

'Voor wie?'

'Voor de buren natuurlijk. Voor de mensen over wie ze gaan. Mensen als jij, je moeder, misschien wel, voor wie niet?'

Julia zuigt haar adem in. De kamer rolt zich op en reduceert zich tot een scherpe steek, op dolkhoogte, in haar rug.

'Briljant, niet?'

In Alexanders rug.

'*By god*, ik vreet m'n ballen op als nu de hel niet losbreekt in Berlijn.'

De steek is zo scherp, hij verzengt alle moed, alle zekerheid waarmee ze vanmiddag nog zo stellig verkondigde –

De bloemenman.

Nee, niet de bloemenman.

'Ik hoef niet te weten wie een dolk in mijn rug heeft gestoken.'

Liever naïef dan verbitterd.

Liever naïef dan –

Als Güdrun had geweten dat ze doodgeschoten zou worden, was ze dan gesprongen?

'Günzburg?'

'Ik ben er nog.'

'Heb je me gehoord?'

'Ik heb u gehoord.'

'Als je niet wilt, kan ik natuurlijk ook iemand anders vragen.'

Julia hoort de zelfvoldaanheid aan de andere kant van de lijn, en ziet de hoofdredacteur achteroverleunen in zijn zwarte leren bureaustoel die krakend meegeeft onder zijn gewicht.

'Nee, dat is niet nodig,' hoort ze zichzelf zeggen. Ze is een duizendpoot, en gaat andere duizendpoten van onder hun steen lospeuren.

Als Güdrun had geweten dat ze doodgeschoten zou worden, was ze nooit gesprongen.

Maar dan.

'Waarheidsvinding, Günzburg. Een journalist doet aan waarheids-vin-ding. Nog even en jullie Ossies zullen begrijpen wat dat is.'

Met die laatste woorden gooit de hoofdredacteur de hoorn op de haak. Julia luistert naar de pieptoon. Het ratzwarte gat van de televisie weerspiegelt haar gestalte, steil rechtop op de salontafel. In het bollende glas lijkt haar lichaam nog smaller, een smalle schim. Een naakte prooi voor de ogen en oren die uit alle hoeken van de kamer en de televisie komen, snelle schaduwen op het scherm als gierende vleermuizen.

Dan had ze in een land geleefd dat in staat was haar dood te schieten, en had ze alleen maar nog liever willen springen.

In de keuken is Frida weer binnengekomen.

'Hier ben ik weer,' hoort Julia haar zeggen. 'Waar had je me gehad willen hebben?'

Julia kijkt door het luik en ziet haar moeder in een witte tafzijden doorknoopjurk met zwarte noppen die ze herkent uit een onbewust verleden. Frida wrijft met haar handen langs de rok, als een muurbloem op een dansfeest. De jurk stond vast ooit mooi, met borsten die opbolden aan weerszijden van de met stof beklede knoopjes en een zichtbare taille. Nu hangt het ding als een plank om haar benige lijf, wat des te triester oogt doordat de kokette noppen zo duidelijk appelleren aan een glorie die ergens onderweg is vergaan, zonder dat de draagster er notie van heeft genomen.

Tot haar schrik constateert Julia dat haar moeder haar lippen heeft voorzien van een soort oranjerode lippenstift, die fel afsteekt tegen de huid van haar vleesloze wangen. Ze springt instinctief op en hangt door het luik.

'Moeder, is die jurk niet wat te zomers?'

Frida kijkt haar geschrokken aan. Een zwarte veeg rond ogen die van iemand anders lijken.

'Campbell' – Julia draait zich naar de fotograaf, die in een hoek van de keuken haastig een statief uitklapt – 'moet ze niet iets Oost-Duits aan? Een fabrieksschort of iets dergelijks?'

'Nee,' grijnst hij breed, 'dit is perfect.' Zonder nog acht op Julia te slaan, bevestigt hij zijn camera op het statief en geeft hij aanwijzingen aan Frida, die zich weifelend op de keukentafel drapeert en schielijk haar hand terugtrekt wanneer ze die per ongeluk in haar breimand legt.

'Misschien kun je het bovenste knoopje opendoen.' Campbell vraagt het zonder vraagteken. Frida wurmt met haar oude vingers de bovenste twee knoopjes los, wat weinig nut heeft, want de taf is stijf van ouderdom en blijft kaarsrecht staan. Het enige effect is dat het een jammerlijk mislukte poging wordt, in plaats van een poging die is mislukt zonder dat iemand het doel kende.

Julia staart ernaar met woorden die op haar lippen blijven hangen. Boven het onthutsende tafereel dwingen twee zeeblauwe ogen. Kijk naar mij, Julchen, kijk mij in de ogen en zeg dat je dit niet zielig vindt, een straf te zwaar voor onze oude moeder, die het niet verdient om als een paljas te worden afgebeeld, toe, zo hard ben je niet, zo hard kun je niet zijn geworden. Julia kijkt. Güdrun kent geen haat, het voorrecht van de doden; als ze het al ooit hebben gekend, dan is het in de kiem gesmoord en mettertijd verzacht. Haat is voor de levenden, voor Julia, die nergens meer de tederheid kan vinden waarmee ze gisteren nog haar beide armen om het lijf van haar moeder wilde slaan.

Julia wendt haar ogen af en laat zich op de bank vallen. De kuil in het midden is nog groter geworden, er zit nu een gat op de plek waar het okergeel vroeger slechts sleets was. Stevig garen probeert het dicht te houden, maar kon niet verhinderen dat met Julia's plof een pluk zeemkleurige vulling is ontsnapt.

Haar oog valt op een krant in de mand onder tafel, dezelfde waar haar vader vroeger een week lang alle kranten ongelezen in opstapelde, om de mand op zondag integraal op tafel te zetten en het nieuws achterstevoren te lezen. Dan kon hij gevoeglijk overslaan wat al niet meer van belang was, luidde zijn visie. 'Bodemloze put van de Stasi,' kopt de voorpagina. Ondanks zorgvuldige ontmanteling van de geheime dienst door de geheime dienst zelf, circuleren enkele dossiers van hooggeplaatste ambtenaren in het Westen, leest Julia. Haar vader had gelijk destijds: de DDR houdt niet op bij de Muur. Eén dossier doet vermoeden dat een functionaris dicht bij Helmut Kohl in het spionnenapparaat zat. Een ander document suggereert dat de Stasi medewerking heeft verleend aan diverse dissidente groeperingen in het westen, waaronder de IRA en de ETA, en zelfs steun heeft betuigd aan aanslagen. Van bevestiging door de Stasi is nog geen sprake, het voormalig ministerie van Staatsveiligheid onthoudt zich van alle commentaar en wijst er alleen fijntjes op dat deze informatie afkomstig is van personen die niet of niet meer op de loonlijst van de dienst staan. Deze zin is met pen dubbel onderstreept en voorzien van een vet uitroepteken in de marge, ziet Julia verbaasd. Waarom zou Frida in 's hemelsnaam zo'n achterlijke zin onderstrepen? Een journalist reageert in een cynisch opiniestuk met de vraag wie er wel op de loonlijst van de Stasi staan, en of het niet eens tijd wordt deze openbaar te maken, opdat we in elk geval weten wie we wél kunnen vertrouwen. Een ander artikel wijdt zich met gelijksoortig cynisme aan de vraag waarom alle gelekte dossiers personen uit West betreffen, en of de dossiers uit Oost misschien onder Honeckers hoofdkussen liggen.

Julia legt de krant opzij. Een cynisch stuk, dat is waarschijnlijk precies wat de hoofdredacteur van haar verwacht, of wil in elk geval. Het vergt die typische vooringenomenheid die nagenoeg al haar collega's hebben, de mannelijke voorop. Ze zal deze nog minder kunnen veinzen dan ze al kon.

Dan had ze op een goede dag het land verlaten onder de schoenen van de bloemenman, met een baby in haar buik die zijn vader nooit zou kennen.

En zijn moeder eigenlijk evenmin.

Uit de keuken stijgt een gegiechel op van haar moeder, afgewisseld door grommende kreten van Campbell die klinken als aanwijzingen voor een pornoscène, gelardeerd met aanmoedigend gekweel. Julia gaat op haar knieën zitten en trekt het luik dicht met een klap die niet eens zo hard bedoeld is. Aan de keukenkant klinkt gerinkel van glas dat valt en ze roept een excuus door het dunne hout, een excuus dat geen weerwoord behoeft en dat ook niet krijgt.

Ze laat zich terugvallen in de kussens en pakt opnieuw de bakelieten hoorn van het massieve telefoontoestel.

'Hoe gaat het?'

'Goed. Waarom belde je?'

'Ik mag mijn vrouw toch wel bellen?'

'Ja. Ja, natuurlijk. Sorry.'

'Gaat het goed daar?'

'Het gaat goed hier.' Julia heeft geen enkele zin om te vertellen over haar moeder die in een noppenjurk gedrapeerd over de keukentafel in de krant dreigt te komen.

'Nou, hier gaat het ook goed.' Ysbrand wacht even. 'Olivier slaapt eindelijk. Hij mist zijn moeder.'

'Zijn moeder mist hem ook.'

'Hmm.' Ysbrand klinkt alsof hij eigenlijk iets anders aan het doen is, wat vermoedelijk ook zo is. 'Wanneer kom je terug?'

'Nou,' zegt ze zo voorzichtig mogelijk, 'ik weet niet of ik vrijdag wel haal.'

'Hoezo niet?'

'De hoofdredacteur belde. Het schijnt dat de Stasi haar archieven openbaar zal maken.'

'Zo,' klinkt het misprijzend, 'dan zullen we eindelijk eens zien wat de communisten onder vrijheid verstaan.'

Julia knijpt haar lippen op elkaar.

'De voorwaardelijke liefde van de zorgstaat,' sneert Ysbrand aan de andere kant van de lijn, zeshonderdvijfenvijftig kilometer westwaarts. 'En de voorwaarden krijgt de wereld nu zwart op wit onder ogen. Fantastisch. En wat moet jij daarmee?'

'Erover schrijven.'

'Ach, dat is waar, je bent nu een echte journalist.'

Julia slaat haar ogen op en kijkt naar het plafond. Vroeger telde ze de schrootjes. Pas als ze ze allemaal had geteld kon ze naar bed. Het moesten er 43 zijn.

'Dat was een grapje, schat.'

'Natuurlijk.'

'Maar even over vrijdag, je weet toch dat we dat diner hebben?'

'Ja.'

'Ik heb een jurk voor je gekocht.' Ysbrand laat een verwachtingsvolle stilte vallen.

'O.'

'Wil je niet weten wat voor een?'

'Jawel.' Het bakeliet begint te wegen in haar hand.

'Dat is een verrassing. Voor als je vrijdag komt.'

'Ik zal mijn best doen.' De hoorn wordt zo zwaar dat het jeukt in haar arm. 'Ik moet ophangen.'

'Waarom?'

'We gaan eten.'
'Zo laat?'
'Ja. Moeder roept, ik bel je later, dag schat.'

Dan was op een dag dat land opgehouden te bestaan.
Dan had ze de vader weer ontmoet, en gehoord dat het überhaupt niet nodig was geweest. Allemaal.

De kamer is zo stil dat Julia haar slapen hoort kloppen. Alles is zwart, het televisiescherm, het gat van het raam, de Mitte die de avond in is gekropen, alle vage contouren zijn opgeslokt door hun schaduw. De duisternis sluit zich als een kap om haar heen. Alleen Alexander is er, en spreekt woorden die hij vroeger niet sprak, onverdraaglijk en tegelijkertijd het enige wat ze kan verdragen.

Oost-Berlijn, oktober 1990, Mulackstraße

'Ik wil ergens zijn waar de zon schijnt.'

'Dat is dus precies wat ik bedoel.'

'Wat?'

'De zon schijnt wel of niet, dat zegt niets over jou. Je keuzes wel. Keuzes maken iemand van je, wie je bent, tillen je boven de grijze massa uit. Waarom denk je dat alles en iedereen hier een grijze massa is?'

'...'

'Hier zijn geen keuzes. Zonder keuzes zijn mensen duizendpoten onder een steen.'

'Keuzes zijn roze.'

'Keuzes zijn roze.'

De keuken is veranderd in een ravage. Campbell blijkt twee camera's in zijn schoudertas te hebben, plus een polaroid, een onafzienbare hoeveelheid lenzen, rolletjes, een statief en een paraplu, die nu her en der over de grond en op het aanrecht verspreid liggen tussen de polaroids en de passen van de fotograaf die als een antilope om zijn muze heen danst. De geur intussen is er een van verschaalde jus en gehaktballen waarmee het nooit meer goed komt.

Julia kucht, maar Campbell en Frida gaan al te zeer op in hun flirt met de werkelijkheid om haar op te merken. Frida zit op het randje van de keukentafel, haar handen in haar schoot gevouwen als een verlegen meisje, haar hoofd een tikje gebogen, zodat ze haar ogen, haar vermoeide, verrimpelde ogen, als in een vraagteken moet opslaan om Campbell aan te kijken, die zijn camera dicht bij haar gezicht heeft en verwoed aan de lens draait.

'Ik zie dat jullie nog bezig zijn?'

Julia's stem snerpt als een kras op de plaat. Frida kijkt op, een fractie van een seconde is haar gezicht hard van ergernis; dan lacht ze onzeker.

'Ik dacht, misschien kan Campbell mee-eten,' zegt ze.

Julia kijkt naar Campbell, die zijn triomf nauwelijks kan verbergen achter zijn camera. Ze schudt haar hoofd en loopt de keuken uit.

'Wat jij wilt, moeder. Roep maar wanneer we aan tafel kunnen.'

In de slaapkamer ruikt het naar slaap en parfum. Julia zet het raam open en ademt diep de Berlijnse avondlucht in. Buiten is het donker, zo donker als het altijd was, alsof de grijze heren nog steeds aan de knoppen zitten, veel licht waar het oog het verdragen kan, weinig licht waar we de ogen liever sluiten. Veel licht op de tv-toren, die als stralend baken boven de daken uitsteekt, rank en fier alsof het hem allemaal niets uitmaakt of de Muur wel of niet dicht is, of Julia er wel of niet is. *Nee, zei je toch, je schudde van nee.*

Julia kijkt naar boven. Hoe minder licht er beneden brandt, hoe meer licht daar boven, zei Alexander altijd. De hemel staart leeg terug. Dan moet je ook je ogen sluiten, zei hij, en ze voelt zijn tong langs haar sleutelbeen, haar schouder, zijn vingers langs haar ruggengraat.

Ze sluit haar ogen.

Door de dunne wanden heen hoort ze hoe in de keuken Frida's vragen worden afgewisseld door Campbells gebrom. Vroeger was het haar altijd gelukt, in de beslotenheid van haar kamer, om medelijden te hebben met haar moeder. Maar nu luistert ze zonder te verstaan, naar de intonatie, de vraagtekens achter de zinnen die op haast vrolijke toon uit haar moeders mond lijken te rollen, alsof ze niet anders gewend is dan interesse te tonen, alsof ze zo'n moeder is.

'Julia?' Haar moeder steekt haar hoofd om de deur. 'Het eten is over vijf minuten klaar.'

'Ik kom eraan,' antwoordt Julia tegen een alweer gesloten deur. Ze loopt naar het bed en trekt het pakje West uit haar tas.

Test the West.

Natuurlijk, denkt Julia cynisch terwijl ze nog een vlugge sigaret opsteekt, en als het je niet bevalt, ga je gewoon terug.

De Cartier die ze van Ysbrand heeft gekregen wordt zwaar. Ze klikt het slotje open en legt het klokje op het nachtkastje, wrijft bloed door haar pols. Dan trekt ze het laatje open en pakt Alexanders foto eruit. Haar vingers glijden over zijn nooit vergeten lippen, zijn jukbeenderen, zijn wimpers, zijn donkere lokken. Cognacbruine ogen liegen niet. De zekerheid waarmee ze dat weet, verwarmt haar als de zon in augustus, de zon vlak voor die een herinnering wordt, een vergeten verlangen. Julia veegt met haar mouw over de foto en poetst de glans terug. Een brief – zonder ogen, zonder lippen, zonder vingers; het was zijn enige middel om te liegen.

Ze verfrommelt het pakje West met sigaretten en al.

De keukentafel is opnieuw gedekt, met drie in plaats van twee borden, en wijnglazen in plaats van waterglazen. Frida heeft voor de gelegenheid het porselein uit de kast gehaald dat nog een trouwgeschenk was van Julia's oma. Julia kan zich niet herinneren dat ze het servies heeft gezien sinds haar vader wegging, al wist ze dat hij het niet had meegenomen, Laurent hoefde niet te eten van volkseigen fabrikaat. Campbell zit al aan tafel, aan het andere hoofd dan waar Frida net plaatsneemt, een schaal met twee gehaktballen in de hand.

'Je vindt het toch niet erg om een bal met mij te delen?' vraagt ze als ze Julia ziet.

Julia schudt haar hoofd, alsof haar antwoord iets uitmaakt, en gaat zitten.

'Jongens moeten goed eten,' zegt Frida, terwijl ze een gehaktbal op Campbells gretig aangereikte bord legt, 'vooral als ze zo hard hebben gewerkt.'

Campbell lacht gedwee als een kleuter die een aai over zijn bol krijgt.

Julia wendt haar blik af en schenkt zichzelf een glas wijn in. Ze heeft sinds die ene boterham met honing vanochtend niets meer gegeten, bedenkt ze, maar ze heeft geen honger. Ze is vol van een ongerijmde lichtheid, alsof Alexanders woorden vleugels hebben gekregen en door haar buik dwarrelen terwijl een vuist zich stevig om haar buikwand heeft geslagen.

'Je had me weleens mogen vertellen dat je zo'n flinke jongen hebt meegenomen, Julia.' Zonder op te kijken schept Frida een paar aardappelen op Campbells bord en op dat van zichzelf. 'Ik kon een paar sterke handen goed gebruiken vanmiddag in de tuin. Je had moeten zien hoe hoog het onkruid weer stond. Jullie hadden je een stuk nuttiger kunnen maken dan struinend over straat op zoek naar Oost-Duitse zielen, dat kan ik je wel vertellen.' Ze zet de schaal aardappelen naast Julia's bord neer. 'Morgen ga ik weer, misschien kun je dan mee,' zegt ze tegen geen van twee in het bijzonder en ze steekt haar vork in haar halve gehaktbal.

'Waarom heb je gezegd dat ik gelukkig was?'

'Tegen wie?'

'Tegen Alexander.'

De naam valt kletterend uiteen op de tegels.

Elf jaar en meer dan twee maanden geleden, zo lang dat Julia het zich niet eens meer kan herinneren, heette Alexander voor het laatst Alexander in dit huis. Sasja was zijn codenaam geworden, toen ze voor de buitenwereld hun relatie hadden verbroken en Julia weer bij Frida was gaan wonen. Niet echt, mama. Maar je moet wel doen alsof het echt is. Snap je? En wat je ook zegt, Alexander bestaat niet meer.

Julia raapt de naam op en legt hem kalm terug op tafel, pal voor Frida, die er als een etalagepop naar zit te staren, een etalagepop in een noppenjurk.

'Je weet wel, moeder, de man die je hebt weggestuurd.'

Frida's vork blijft halverwege tussen haar bord en haar mond hangen.

'De man,' gaat Julia onverstoorbaar verder, 'die een paar weken in een cel heeft gezeten nadat ik was gevlucht.'

Een druppel jus valt.

'De man die zijn zoektocht naar mij staakte toen jij hem vertelde dat ik gelukkig was.'

'Zo,' zegt Frida terwijl ze haar vork neerlegt en met haar mouw de vlek jus wegveegt, 'zei hij dat?'

Als op commando legt ook Campbell zijn bestek neer, omzichtig, alsof hij de lucht niet in beweging wil brengen.

'Hij wel, ja.'

'En wanneer heeft hij dat gezegd?'

'Vanmiddag. Wij hebben een zeer verhelderend gesprek gehad.'

'Zo, dus zo hard heb jij niet gewerkt vanmiddag.' Frida pakt haar vork weer op en prikt er een aardappel aan.

'O,' sneert Julia terug, 'maar ik heb genoeg informatie om een heel artikel te vullen.'

'Ach zo. Wat zei hij nog meer dan?'

'Vind je het niet genoeg?'

'Genoeg voor wat?'

Genoeg om jou te haten.

Julia staart naar haar moeder en zoekt haar ogen, maar ze raakt ze kwijt. Ze ziet het gebeuren. Eerst vernauwen de pupillen tot zwarte pitten. Ongeveer tegelijkertijd trekt de mond samen in een smalle streep. En dan komen de lijnen. Twee diepe groeven van de neusvleugels via een halvemaan naar de mondhoeken. Tegen die tijd zijn Frida's ogen zo hard als kogels en tekenen haar wenkbrauwen een onverschillige boog. Als er nu nog iets haar mond verlaat, weet Julia, is het kort, bot en gespeend van ieder begrip. Maar dit keer geeft ze niet toe.

'Genoeg om me af te vragen waarom je dat hebt gedaan.'

'Wat?'

'Gezegd dat ik gelukkig ben.'

'Dat ben je toch?'

Julia zwijgt verward. Het is de tweede keer vandaag dat haar deze vraag wordt gesteld.

'Of niet.' Frida schuurt haar stoel over de tegels en staat op. 'Ook goed.' Ze pakt de borden – Campbell kan nog net zijn bestek erop leggen – en stapelt ze op elkaar. 'Maar ga me niet vertellen dat dat mijn schuld is. Laten we niet vergeten dat jij zo nodig naar West moest.'

Ze sloft op pantyvoeten naar het aanrecht en knalt er de borden op. Julia blijft achter in de echo van Frida's woorden, zoekend naar een weerwoord. Ze vindt er geen, niet in de kromme rug van haar moeder, niet in haar stoel die als een verloren wees tussen tafel en aanrecht staat, niet in haar breimandje dat nog steeds als een stille getuige op tafel staat, niet aan de muur waar Güdrun hangt. Julia hoeft er niet naar te kijken om te weten hoe ze kijkt.

'En toch,' fluistert Julia in de leegte, 'begrijp ik niet waarom. Waarom je het mij niet hebt verteld. Waarom heb je mij niet verteld dat Alexander wel had willen vluchten?' Waarom heb je mij doen geloven dat hij geen haar beter was dan papa? Dat alle mannen geen haar beter zijn dan papa?

'En dan?' Frida draait zich bruusk om en heft theatraal haar handen op. 'Dan was je teruggekomen?'

'Wie weet, moeder, wie weet. In elk geval had ik dan de waarheid gekend.'

'De waarheid,' hoont Frida en ze draait zich weer naar het aanrecht om in de weer te gaan met potten en pannen. 'Dat is nog maar zeer de vraag.'

'Wat bedoel je daarmee?'

'Precies wat ik zeg,' zegt Frida terwijl ze de koelkast opent en er een glazen schaal afgedekt met folie uit haalt. 'Wie zegt dat Alexander de waarheid spreekt? Hij heeft eerder gelogen, is het niet?'

'Nee, dat heeft hij juist niet.' Julia fronst. 'Of ja, maar dat moest hij. Hij moest wel. Hij had geen keuze.'

'We hebben altijd een keuze, Julia.' Frida haalt de folie van de schaal en pakt een garde uit de pot naast het fornuis. Ze legt haar arm om de schaal en begint de witte massa erin te kloppen. Stevig, met ferme tikken die de chaos in Julia's hoofd opzwepen.

'O ja?' roept ze over de tikken heen. 'En ik dan? Ik wist niet eens dat ik een keuze had. Die moest jij zo nodig voor mij maken. Met welk lef, welk recht?'

Frida stopt met kloppen in de schaal. Even is het in de keuken zo stil dat Julia's oren suizen.

'Met het recht van een moeder,' zegt Frida, op een vlakke toon die de stilte in twee stukken snijdt. Een helft voor Julia, een helft voor Frida, en ertussen een messcherpe kloof. 'Dat zou jij toch moeten kennen.' En ze gaat weer verder met kloppen.

Julia sluit haar ogen. Dit is wat ze doet, haar moeder. Ze lijmt Julia's billen vast op de stoel met cement, stort haar voeten in beton, links en rechts van haar stoel, en giet langzaam uithardend lood in haar benen, nagelt haar lippen aaneen en klemt haar kaken op elkaar, stevig, als een machteloze vuist.

De vuist van een schuldige. Julia heft hem in gedachten naar haar moeder. Dat is haar weerwoord, haar enige. Al zou ze de vinger kunnen leggen op de valkuil in haar moeders redenering, al zouden de woorden achter haar lippen een uitweg vinden, het zou niets uitmaken. Haar vrijheid is gegoten in beton, zuigt haar de keukenvloer in, de fundamenten van haar ouderlijk huis, de Berlijnse grond eronder die haar heeft gevoed, gedragen, zien gaan en komen en zien gaan om niet meer terug te komen.

Güdruns ogen aan de muur worden donker, net als vroeger wanneer ze van woede stilviel en dan ging slaan en schoppen, iets wat ze eens in de zoveel tijd deed en wat alleen maar gesust kon worden door Julia, die net zo lang haar dunne armpjes om haar zus heen sloeg tot ze tot rust kwam.

Niet zo kijken, Güdrun. Vrijheid heeft alle mogelijke kleuren, ja, maar niet per se een die je zelf bedenkt. Die ene ochtend toen je uit bed sloop, mij een kus op mijn haren gaf – dacht je dat ik die niet voelde? – en je badpak onder je kleren aantrok, stilletjes het huis verliet, toen was je vrij. Vrijer dan toen je sprong misschien wel. Je sprong, en Spreegroen werd rood, rood als het bloed dat de Spree kleurt. Ik sprong ook, weet je dat? Ik sprong één keer. En nu ben ik een immigrant voor mijn zoon, en een emigrant voor zijn vader. O ja, ik heb keuzes. Kleintjes. Keuzes die zich maar al te graag voordoen als zodanig, maar feitelijk onbeduidend zijn en daarom minstens zo bedrieglijk. Welke kleur groente. Welke kleur kokerrok. Welke kleur dag. *Voir la vie en rose, ou en noir.*

'Gaat het?'

Julia voelt een hand op haar schouder en opent haar ogen. Campbell kijkt haar aan met een bezorgde rimpel boven zijn neus. Hij krijgt er ineens een raar volwassen gezicht door en Julia moet erom lachen; ze lacht dwars door haar tranen heen en slaat haar ogen op, omhoog, naar de muur. Güdrun kijkt haar zacht aan als altijd. Maar toch, mijn Julchen.

Ja, knikt Julia.

Ze kijkt naar het aanrecht, waar Frida met een garde door de lobbige wittige massa in de glazen schaal roert en klopt alsof haar leven ervan afhangt. De strik van haar schort, die malle opsmuk op de kromme, magere rug, gaat ervan heen en weer. De witte spetters vliegen door de lucht, als je er een lijst omheen zou doen, zou het zo een oud-Hollands schilderij kunnen zijn. Een eendimensionaal tafereel zonder verleden en toekomst, een momentopname en daarom alleen maar schijn, een plaatje waar je geen vinger achter kunt krijgen.

'Het maakt niet uit.' Julia's stem snijdt door de keuken. Naast haar staat Campbell voorzichtig op om zijn camera te pakken, maar ook dat maakt niets meer uit. 'Het maakt niet uit wat jij denkt, moeder. Of wat ik heb gedaan, of wat Alexander zegt. Wat wij allemaal denken en doen en zeggen, het maakt helemaal niets meer uit.'

De strik draait zich langzaam om. 'Wat bedoel je?'

'Precies wat ik zeg,' zegt Julia en ze giechelt onwillekeurig bij de aanblik van Frida die haar arm om de glazen kom heeft geslagen alsof het haar kind is. 'We zullen weten.'

'Wat zullen we weten?'

'Dat we duizend poten hebben.' Julia pantsert zich tegen

haar moeders blik, waarvan de pupillen zich al vernauwen tot zwarte pitten. 'Alleen zal het voor sommigen te laat zijn om onder hun steen vandaan te kruipen.'

'Mijn kind, waar heb je het over?'

Twee kogels komen recht op Julia af, ze komen van een plaats waar onnavolgbare wetten gelden. Maar ze raken haar niet meer, ze heeft een weerwoord, dossiers vol weerwoorden.

'Over de waarheid, moeder. De waarheid over Alexander, over mij, over Güdrun. Over jou misschien wel. We zullen alles weten. Alles is gezien, gehoord, opgeschreven, en dat zullen we allemaal lezen.'

De schaal in Frida's arm helt gevaarlijk ver voorover, maar ze lijkt het niet te merken.

'Snap je het nu?' giechelt Julia nerveus. 'De Stasi-archieven. Ze gaan open.'

Het doek valt, kletterend en spetterend.

'Ollie, wat doe je?'

'De juf heeft gezegd dat scherven geluk brengen.'

'Kom eens hier, lieverd, pas op, niet in die scherven gaan staan.'

'Waarom huil je, mama? Heb ik je geen geluk gebracht?'

Oost-Berlijn, oktober 1990, Schönhauser Allee

De jongen op de andere hoek van de bar lijkt opvallend veel op Olivier. Dezelfde gladde huid, de ronde kin, de vrouwelijke jukbeenderen. De vroegwijze hand door zijn bruine lok zou precies een gebaar zijn dat Olivier zou kunnen maken. Als hij een lok had. En als hij de schroom van een jongetje al had gewisseld voor de bravoure van een jongeman.

'Ach ja,' zucht de oudemannenstem naast haar, 'dat was ooit.'

Julia draait haar hoofd. Haar ogen draaien een fractie langzamer en komen dansend tot stilstand op het grote hoofd vlak naast het hare. Ze stelt scherp.

'Je kunt van alles van die Muur zeggen,' zeggen de twee vochtige lippen toonloos, 'maar je kon hem tenminste nog afbreken. De Wende, die laat zich niet meer terugdraaien.' De intonatie is meegenomen door de wodka, die nu de dikke oogleden van de man naar beneden begint te trekken. Hij wijst op zijn lege tumbler en bestelt een nieuwe.

'Jij nog een gin?'

Julia schudt haar hoofd, haar hersenen schudden losjes mee. Ze hangt ze op aan de lijnen in het gezicht van de man. Twee halvemanen langs de neus, drie liggende halvemanen boven de borstelige wenkbrauwen, een diepe groef boven de neus. Ze wijzen allemaal naar beneden. Het meest naar beneden, als de omgekeerde lach van een clown, wijst de ronde sikkel op zijn kin, die de grootste kin is die Julia ooit heeft gezien. Wat zou er eerst zijn geweest, vraagt ze zich af, die lijnen of de Wende?

De man lacht een bulderende lach. 'Ik vrees dat mijn rimpels ouder zijn dan elf maanden.'

Julia's wangen worden warm. Nu gaat de alcohol met haar gedachten aan de haal. Ze wenkt de ober en vraagt om een glas water.

In al die jaren dat ze om de hoek van de Schönhauser Allee woonde, heeft ze nooit geweten dat de lieflijke Schoppenstube aan het eind ervan een bar was voor homo's, die van heinde en verre kwamen om tot diep in de nacht te dansen in de kelder. Ook al zoiets dat ze niet wist. Haar verleden begint steeds meer op dat van iemand anders te lijken.

'Hoe had je dat moeten weten,' zegt de man. 'Als je geen pot was, had je hier niks te zoeken.'

'Wie zegt dat ik geen pot ben?'

Een paar trage ogen proberen zo ernstig mogelijk te kijken. 'Dan was je niet naar West gegaan.'

'Wie zegt dat?' Julia drinkt haar water, voelt hoe het haar mond strak maakt en haar hart koel. Ze leegt het glas in een paar grote slokken en vraagt meteen een nieuw.

'Ik. Wist je dat ze uit West hiernaartoe kwamen omdat het hier veel vrijer, veel gemoedelijker was? Hier stapte je binnen en kende je iedereen, niemand deed zich beter of gelikter voor dan de ander, het was niet zo verkrampt als nu. Geloof me, je was hier aan de goede kant als je van de verkeerde kant was.'

Julia lacht onwillekeurig. Ze werpt een blik over haar schouder en ziet de witte kuif van Campbell, verstrikt in de omhelzing van een slanke jongeman met gitzwart haar. De kuif gaat op en neer op het ritme van hun zichtbaar verstrengelde tongen.

'Als hetero had ik hier toch ook een keer kunnen binnenstappen?'

De man schudt beslist van nee. Hetero's kwamen hier niet. 'Of het moest de Firma zijn die kwam polsen of we geen al te rare homodingen deden.' Hij brengt zijn gezicht dicht tegen het hare, de grinnik uit zijn mond komt met een geur van erwtensoep. 'Tenzij mejuffrouw dus van de Stasi was?'

'Dat is onmogelijk,' stamelde Frida.

Scherven knerpten onder haar sloffen. Campbells camera klikte. Verder was er geen geluid, behalve het vileine vermoeden dat begon te fluisteren in Julia's hoofd.

Ze knijpt haar lippen op elkaar. Haar ogen ontmoeten twee lodderige ogen, die plots onderzoekend op haar leunen.

'Ik dacht dat het hier zo veel vrijer was,' zegt ze snel.

De clownslach naast haar steekt wijsgerig vooruit, de blik waait weg op een zucht. 'Zeker. Zodat ze ons goed in de gaten konden houden. Je dacht toch niet omdat ze zo dol op homo's waren? Kom. In een land waar je met lang haar al verdacht was, waren wij het zeker.'

Julia klemt dankbaar haar handen om het koude glas dat de barman voor haar neerzet. Ze krijgt er een knipoog bij.

'Eckhart, die tijden zijn voorbij, man. Heb je eens een schoon jong ding aan je zij, gooi je er alleen politieke praat tegenaan.'

De man grijnst dommig. 'Schoon uit West, ja,' hikt hij, 'maar denk maar niet dat er een knuppel onder dat rokje zit.' Hij doet een halfslachtige graai in de richting van Julia's dijen. Ze wijkt angstvallig weg, een nodeloos overdreven reactie op de arm die halverwege blijft steken in een bulderende lach.

Als de avond haar kracht niet had opgezogen, zou ze de man een ferme tik geven. Ze haat het effect dat alcohol op mannen heeft. Dronken vrouwen, zoals haar collega's, worden hooguit labiel, de alcohol tilt hun benen van de grond en legt hun hart ervoor in de plaats. Dronken mannen en zeker dronken journalisten boren hun voeten ferm in de grond, liefst daar waar zo veel mogelijk harten liggen. Als hun pens overloopt, trekt de alcohol hun rits naar beneden en pissen ze alle harten die ze kunnen raken onder met hun zure gal.

Het zijn de momenten waarop Julia graag een man zou zijn. Ze raapt haar hart op en plant haar hakken in de grond.

'Denk maar niet, Eckhart, dat je de enige was die in de gaten werd gehouden.'

De man balanceert tussen slaap en verwondering. Julia's huid jeukt onder zijn lui vragende ogen.

'Wees blij,' snibt ze, 'jullie konden tenminste rommelen in de marge. Jullie wáren godbetert de marge.'

Ze grijpt haar Marlboro's en steekt er een op. Naast haar zijn hersenen druk bezig op het droge te krabbelen, Julia hoort ze haast amechtig spartelen. Ze trapt ze terug, onverbiddelijk.

'Man, je lult alsof je het alleenrecht op het verleden hebt, maar geloof me, je was niet de enige met ogen over je schouder. Die van jullie waren nog makkelijk te herkennen, ze hoorden bij tongen die niet bij jullie naar binnen wilden. Hoe denk je dat het is als ze van je eigen soort zijn? Om in je eigen huis, in je eigen hart te worden bespioneerd?'

'Wat heb je gedaan, mama?'

Frida draaide zich om en om, op de scherven, ze spleten onder haar sloffen in nog meer scherven. 'Ik kon niet anders,' fluisterde ze, en nog eens, en nog eens, 'ik kon niet anders,' op het ritme van het geluk onder haar voeten.

'Moeder, wat heb je gedaan?'

Naast haar maken twee mollige lippen zich vochtig om tegen te sputteren, maar Julia heeft er geen zin meer in. Ze drukt haar sigaret uit, springt van de kruk en pakt haar tas. 'Die Wende laat zich niet terugdraaien, nee; misschien mag je hier onder de bar schuilen voor het grote boze Westen,' fluistert ze zo vilein mogelijk in een zwetende nek voor ze rechtstreeks koers zet naar – god weet waar.

Links hangt Campbell nog steeds in innige verstrengeling, duidelijk nog niet van plan te gaan.

Recht vooruit zijn de toiletten, maar om daar te komen zou ze zich eerst langs een woelige verzameling tongen, armen en benen moeten wurmen die het smalle gangetje hebben verkozen tot vrijplaats.

Rechts is de andere hoek van de bar. Ze voelt een geamuseerde blik op haar gericht en laat zich ernaartoe trekken, half onwillig, half verlangend naar een uitvlucht.

'Jij ziet er niet uit als een homo,' zegt de jongen als ze naast hem staat.

'Nee?' Ze wenkt de ober en negeert Eckharts blik.

In haar ooghoek schudt de jongen beslist zijn hoofd. 'Te weinig borsthaar.'

'Wat weet jij van mijn borsthaar?'

'Weinig. Maar ik zie wel te veel borst om haar te hebben.'

Zijn stem daalde een octaaf, veel te laag voor een jongen die op Olivier lijkt. Ze kijkt op. De afstand, of de nevel in haar hoofd, moet zijn huid gladder hebben gemaakt, zijn lippen voller, zijn wimpers langer. Zijn rechteroog kijkt haar recht aan, het andere blikt iets langs haar heen. Het is maar een fractie van een millimeter, maar genoeg om de indruk te wekken dat hij met de helft van zijn wezen heel ergens anders is. Ze richt haar beide ogen op zijn rechter, maar pardoes schiet dat buiten haar gezichtsveld en is het zijn linker dat haar licht spottend aankijkt. Spot als masker voor onzekerheid – ze herkent het uit duizenden. Olivier begint er ook al een handje van te krijgen zijn zwakheden met bravoure te verbergen, tot genoegen van zijn vader. Weer iets waarin hij zichzelf kan herkennen. Bij deze jongen is het de nerveuze trek om zijn mond die hem verraadt. Ze kan hem niet geruststellen, ze wordt zelf zenuwachtig van die loensende ogen. Ze wendt haar blik af en bestelt een gin.

'Het zal je verbazen, maar er zijn plekken waar homo's weinig tot geen borsthaar hebben.'

'Waar?'

'Amsterdam.'

De jongen fluit tussen zijn tanden, een zacht sissend geluid. 'Ik wist wel dat je niet van hier was.'

Ze kan niet horen of het bewonderend of afkeurend is bedoeld, maar houdt het misverstand graag in stand. Voor hem komt ze uit Amsterdam, heeft ze geen verleden in de straten van Mitte, geen ogen op haar schouder, geen zus die een zee van kogels in zwom. De gin maakt haar bittere tong zoet.

'Jij ook niet,' kaatst ze terug.

'Wat, niet van hier?'

'Geen homo.' Ze kijkt naar zijn rechteroog. Mis, naar zijn linker. Ze wordt er duizelig van, het lijkt wel of ze zelf scheel kijkt. Hoe kijken mensen elkaar normaal aan, met beide ogen in beide ogen? Hop, daar gaat zijn linker weer, het is alsof hij het erom doet.

'Waarom lach je zo?' giechelt ze onwillekeurig. 'Lach je me soms uit?'

'Nee, ik lach je niet uit.' Hij bestudeert haar gezicht. 'Nou ja, een beetje misschien. Je ziet eruit als een kleuter die voor het eerst een aap ziet.' In een plotse beweging brengt hij zijn ogen tot vlak voor de hare, ze raken elkaar in een kolkende zee van gin, bier en groene iris. 'Eng hè?'

Ze duwt hem ferm terug en ze meent het. 'Voor iemand die

ik pas een minuut ken en die bovendien een decennium jonger is dan ik, kom je wel erg dichtbij. Vertel me liever naar welk oog ik moet kijken.'

Hij wijst op zijn rechter. 'Meestal naar deze. En Peter is de naam.'

'Goed.' Ze schudt zijn hand en gaat op de kruk naast hem zitten. Ze voelt hoe Eckharts ogen haar volgen. 'Julia.'

'En nee, ik ben ook geen homo.'

'Wat doe je hier dan?'

Peter ademt diep in en wacht even voor hij uitademt. 'Drinken. Roken. Vergeten dat mijn beste vriend zich nu laat pijpen op het toilet.' Schuins kijkt hij haar aan van boven zijn belachelijk grote bierpul. Zelfspot als masker. Van wat?

Julia trekt twee sigaretten uit haar pakje, steekt ze alle twee aan en geeft hem er een. 'En wat moet je nog meer vergeten?'

Peters blik verstrakt en richt zich op zijn bierpul.

'Dat ik besta.'

Zijn masker ligt naakt op de bar.

Ze kijken er allebei naar. Terwijl om hen heen de stemmen luider worden en lijvige mannenlijven meedeinen op de schlager die uit de boxen schalt, wordt het tussen hen zo stil als in een wachtkamer.

Frida stond abrupt stil. Druppels bloed sijpelden onder haar sloffen door en kleurden de witte lobbige massa roze.

'Als ik het niet deed,' fluisterde ze, 'dan mocht je niet werken. Niet wonen. Dat zeiden ze. Dan zouden ze het je heel moeilijk maken, snap je dat?' Haar blik boorde dwars door Julia heen, als een kogel door haar hoofd die er aan de achterkant weer uit kwam, de keuken door, de tijd door, naar wat was, naar de twee agenten aan de keukentafel. Güdruns bloed aan hun handen was nog niet opgedroogd. Of daar zaten ze al. Uw jongste, mevrouw, hoe vluchtgevaarlijk acht u haar? 'Wat kon ik zeggen?'

'Wat dacht je van: sodemieter op?'

'Kom,' zegt Julia, net zozeer tegen zichzelf als tegen de jongen naast haar. Ze pakt haar tas en sigaretten en gooit een paar mark op de bar. 'Jij moet hier weg.'

Buiten slaat de kou hen in het gezicht. De vroege ochtendschemering hangt al tussen de daken, te ver om met het blote oog te vangen, dichtbij genoeg om het gloren te voelen onder de loswekende lucht. De straat strekt zich donker en verlaten voor hen uit. Julia snuift de wind op die de gin wegblaast, voelt hoe Eckharts ogen van haar schouders vallen. Ze heeft Campbell niet eens gedag gezegd, maar betwijfelt ook of dat veel zin zou hebben gehad. Vermoedelijk was hij haar al vergeten toen ze voet over de drempel van de Schoppe zetten. Waar gaat ze nu in godsnaam slapen?

Peter steekt de straat over; Julia volgt hem als een toerist zijn gids. Zwijgend lopen ze een schaars verlicht park in, waarvan Berlijn er zo veel heeft dat Julia niet eens weet welk dit is. Er staan bomen, struiken, er is een breed pad met lantaarnpalen en een fijnmazig netwerk van donkere paadjes die daarop uitkomen. Ze slaan een smal zijpad in en zijgen neer op het eerste bankje dat ze tegenkomen. Een plek om te slapen, bedenkt Julia zodra haar botten het golvende hout raken.

'Ik had een vriendin,' vertelt Peter, met zijn handen stug in zijn zak. 'Ze had blond haar en het liefste gezicht dat je je kunt voorstellen. Ze had kuiltjes in haar wangen, ook als ze niet lachte. Ze had een pony die ze in de zomer naar achteren deed met een haarband. Dan zag je haar ogen goed, hoe blauw ze waren, hoe ze oplichtten als ze lachte en donker werden als ze boos was. Ze was meer dan knap, ze was mooi, snap je?'

Julia knikt in het donker. Güdrun was ook mooier dan knap.

'We deden alles samen. Als ik niet bij haar was, dan was zij bij ons, wat vaker voorkwam, want zij woonde in een kraakpand waar geen stromend water was en geen moeder die voor haar kookte. Mijn moeder was dol op haar, zag in haar de dochter die ze nooit had gehad of zoiets. Ook toen ik in dienst moest kwam ze vaak eten, dan schreef ze me brieven vanachter mijn bureau.'

Die goeie ouwe diensttijd heeft heel wat brieven opgeleverd. Julia heeft weleens gedacht dat de Partij daarom de jongens zo lang in dienst stuurde; ze kregen de intiemste informatie gratis en voor niets zo in de brievenbus. Naarmate de achttien maanden vorderden, vertoonden de brieven van Alexander steeds minder gaten. Ze werden er steeds bedrevener in.

'Hoe heette ze?'

'Hella.'

'Mooie naam.'

'Op een dag in juli was ze weg. Ze had haar examen weer niet gehaald. Mijn moeder zei dat ze wel op vakantie zou zijn. Maar Hella ging niet op vakantie zonder mij. En we zouden helemaal niet op vakantie gaan, we zouden met zonnig weer op de motor naar de Oostzee gaan, en met regen zou ik haar helpen met biologie. Ze wilde dokter worden.'

'Waar was ze dan?'

'Weg.' Peter schokschoudert bozig, alsof het om een logisch lot gaat waartegen hij de strijd al lang geleden heeft gestaakt, maar dat hij het leven nog lang niet heeft vergeven.

Een ijzig vermoeden kruipt langs Julia's ruggengraat.

'Het was een vraag zonder vraagteken.' Frida stapte uit de scherven en strompelde naar de keukentafel. Haar sporen waren rood. 'Ik had geen keuze.'

'Je hebt altijd een keuze, weet je nog?' Julia stikte bijna in haar woorden.

'Waarnaartoe?'

'Naar West. Althans, dat dacht ik. Ze had het er zo vaak over gehad. Ze wilde weg. Zou hier nooit dokter worden, dat wist ze zeker. Dat was misschien ook wel zo. Ze leefde als een wees, terwijl haar vader in Dresden woonde. Ze weigerde zich in te schrijven voor de FDJ, haar haren te kammen, de gaten in haar jeans te repareren, te vertellen waar ze haar jeans vandaan had. Ze had Levi's, weet je. Uren is ze daarvoor verhoord.'

'Waar had ze die dan vandaan?'

'Weet ik veel. Wat doet het ertoe? Had jij geen Levi's?'

Ze bijt op haar lip.

'Natuurlijk.' Peter wacht haar antwoord niet af. 'Jij kon ze gewoon kopen zonder dat er een dossier over je werd aangelegd. Hella niet. Hella was vrij in een land waar niemand vrij was. Superfrustrerend, ze maakte ze helemaal gek.' Hij lacht triomfantelijk.

'Hoe weet jij dat?'

De lach verstomt. Over Peters gezicht glijdt een schaduw die Julia niet kan zien, maar ze voelt hoe hij kil langs haar schouderbladen strijkt. Haar vraag was niet verkeerd bedoeld. Niet zo wantrouwend als hij misschien klonk. Ze zou het willen zeggen. In plaats daarvan staart ze naar de brede schouders die zich donker aftekenen tegen de schemering en ze bedenkt dat deze jongeman, wiens adem ze ruikt in de nacht, wel een halve generatie jonger is dan zij.

'Mijn vader,' zegt hij eindelijk. Zijn stem klinkt alsof hij tientallen jaren ouder is geworden.

Wat is er met je vader, wil Julia niet vragen.

Frida zat tegenover Julia aan de keukentafel. Misschien durfde ze niet meer aan de kopse kant te zitten. Te dichtbij. Nu zat ze onder Güdrun, en zo dichtbij dat Julia de haartjes op haar kin kon tellen. Drie. Ze kon de adem van haar moeder op en neer zien gaan onder de zwarte knoopjes. Inenuitenineneuitenin. Julia kon de klontjes mascara tellen in de oude wimpers van haar moeder. Vijf. Ze kon de spetters vanilleroom ruiken die aan de tafzijde met noppen kleefden.

'Waarom heb je mij niets gezegd?'

Ze kon zien hoe haar moeders pupillen op slot gingen.

'Om dezelfde reden als waarom jij nooit iets tegen Olivier zult zeggen.'

Peter vertelt het toch. Dat zijn vader een hoge pief was bij de Stasi. Dat hij mensen verhoorde. Gewoon, omdat het zijn plicht was. Opdat de nette burgers in een fascistenvrij land konden leven waar iedereen gelijk was. Ze drukt haar nagels in haar handpalmen. De jongen zit zo dichtbij. Zijn vlees en bloed ruiken naar verraad. Naar haar moeder. Naar haar. Ze drukt haar nagels dieper in de huid, maar Peter stopt niet met praten. Hij heeft zijn vuisten gebald. Hij slaat ermee in de lucht. Links. Rechts. Alsof hij zijn woorden knock-out wil slaan. Hij is allang niet meer tegen haar aan het vertellen, maar tegen de onzichtbare boksbal die zijn leven is. Maar zij vangt zijn woorden en ze dringen diep door in haar vlees. Tot daar waar Alexander zit, aan een kale tafel onder een scherp licht, tegenover de vader van deze jongeman. Tegenover Frida, naast Güdrun. Julia jaagt rond hen heen, ze kan niet besluiten waar zij moet zitten.

'Opgeruimd staat netjes.' Peter heeft zijn vuisten op zijn knieën gelegd en kijkt ernaar. 'Dat was alles wat hij te zeggen had op Hella's vertrek. Opgeruimd staat netjes. Ik wist niet dat hij het zo letterlijk bedoelde.'

De ochtendschemering prikt langzaamaan door de bladeren boven hun hoofd en Julia voelt hoe de dauw optrekt langs haar kousen. Ze voelt zich naakt onder alleen de dunne wol en een enkele laag tweed, en moet plassen. Maar ze verroert geen vinger.

'Een paar maanden geleden stond ze ineens voor mijn neus. Een vale afspiegeling van vroeger. Ze stond zo dichtbij dat ik haar kon aanraken, maar dat was alleen haar lichaam. Je vader, zei ze.'

En weg was Hella. Om nooit meer terug te komen. Nooit meer terug naar de jongen die is ontsproten aan de man die haar heeft bespioneerd, al die jaren, misschien heeft Peter ook wel dingen gezegd, ze zal nooit meer iemand kunnen vertrouwen, dat zei ze, misschien is Peter zelf ook wel bespioneerd, je weet het niet, zij zal het nooit meer zeker weten en daarom is haar leven verwoest, versplinterd door zijn vader, die haar heeft opgepakt en opgesloten, ze kan bijna niet geloven dat Peter dat niet wist, dat hij haar niet heeft laten zitten in die cel omdat ook hij dacht dat ze uitschot was, geen geschikt materiaal – voor wat dan ook.

'Dus wie,' besluit Peter toonloos, 'wie is nu eigenlijk de verrader.'

Hij draait zich om naar haar en in het ochtendlicht ziet Julia die twee loensende ogen, gevuld met vragen waar zij geen antwoord op weet. Hoe zou ze, ze zit in dezelfde val. Erger nog. Zij is er met leugens doorheen gevlucht.

De struiken achter hen wijken plots opzij. Een rukwind geeft haar wangen een tik, kippenvel schiet overeind op haar schouders. Ze trekt ze niet op.

In een plotse beweging buigt Peter voorover en voor ze beseft wat hij wil, voelt ze een ruwe tong tussen haar lippen naar binnen dringen. In haar nek een haastige hand die haar vastpakt alsof ze de laatste vrouw in Berlijn is.

Ze bedwingt haar eerste neiging hem weg te duwen. Leugens zijn alles wat ze kan geven. Ze laat hem begaan, doet zelfs lafjes mee maar heeft niet de indruk dat hij het merkt. Zijn tong voelt stevig als taai vlees en smaakt naar lauw bier en sigaretten. Ze doet haar ogen dicht, maar het lukt haar niet aan iets anders te denken, aan iemand anders, aan de warme waterzachte tong die ze nooit meer heeft gevoeld.

Als ze gretige vingers aan haar truitje voelt sjorren, wint haar walging. Voorzichtig maar beslist duwt ze Peter terug. Zijn greep laat maar langzaam los en ze duwt iets steviger. Zijn slechte oog hangt half dicht, zijn goede kijkt haar suf aan.

'Het is koud,' verklaart ze. 'Het is laat. Ik moet slapen.'

Verward blijft hij haar aanstaren, alsof hij haar niet hoort. Het kost haar moeite hem vriendelijk aan te blijven kijken. Ineens weet ze zeker dat ze hier niet wil zijn, in dit park, naast deze vreemde jongen die veel te veel naar Stasi ruikt. Ze staat op en strijkt haar haar achter haar oren. Ze zou misschien nog iets moeten zeggen, maar ze weet niet wat en loopt weg. Ze rent weg.

En ze voelde hoe ze alles wat ze nooit zeker wist, ineens heel zeker wist.

Oost-Berlijn, oktober 1990, aan de oever

De Spree is eigenlijk niet groen. Julia slaat haar armen om haar knieën en kijkt nog eens goed naar het kabbelende oppervlak. Misschien is ze in de zomer groen, of groener, als de bomen op de oever bladeren hebben die weerspiegelen in het water. Maar dat maakt haar nog niet groen. De rivier zelf heeft welbeschouwd geen kleur. In het midden kleurt ze grijs, maar dat komt door de wolken erboven, of door de stenen die zich op de bodem opstapelen en hun onheilspellende schaduw opwaarts werpen. Verder naar links, in de richting waar Güdrun naartoe moet zijn gezwommen, schemert een breekbaar blank onder de oppervlakte doordat het zonlicht met de rimpels speelt. Alleen vlak voor Julia's voeten, waar de rivier zacht tegen de oever klotst, toont het water zijn ware aard. De weerspiegeling van Julia's gezicht deint er lichtjes in, een grillige lichte vlek onder een zwarte schaduw. Zo schimmig als de gin op haar gehemelte. Ze likt met haar tong langs haar droge lippen, proeft de kus van een jongen wiens geur haar vreemd is, vers en verleden tegelijkertijd.

Haar tas ligt in het gras, een deuk in het leer waar ze haar hoofd heeft gelegd. Ze strekt haar benen, langzaam, de kou is in haar gewrichten geslopen en trekt aan haar spieren. Ze masseert haar billen, dijen, monstert de ladders die haar kousen hebben opgelopen, ergens tussen de Schoppenstube en de oever. De langste loopt helemaal tot haar grote teen, waarvan de rode nagel uit het nylon piept. Het vochtige gras buigt eroverheen.

Heeft Güdrun haar schoenen uitgedaan voor ze in het water sprong?

Welke kleur heeft verraad? (De kleur van vanille-ijs op een noppenjurk. Alles wat vloekt met breekbaar blank. Of de kleur van een meisje van elf. Een vrouw in de zon.)

Julia schudt de vragen uit haar hoofd. Ze is aan de oever, en aan de oever zijn geen vragen. Het water klotst zacht tegen de kant en neemt alle vraagtekens mee.

Een vrachtschuit glijdt log door het water. Er is geen levende ziel op te bekennen, ook niet achter de enkele dofgrijze ramen in de lage kajuit. Een spookschip, langs een spookoever. Julia plukt haar tas uit het gras. Het leer is vochtig van de ochtend. De tas zit vol met de dingen waar hij altijd vol mee zit, plus haar opschrijfboekje en het adres van Campbells hotel, maar ze vindt niets waarop ze de tijd kan aflezen. Haar horloge moet nog op het nachtkastje liggen. Misschien vindt haar moeder het. Haar moeder is misschien al wakker, is misschien de hele nacht al wakker, ongerust. Julia bedenkt het niet zonder voldoening en laat de tas naast zich neerploffen. Er zijn geen ogen en oren meer om te bellen.

Ze slaat haar jas om haar schouders en haar armen om haar benen. Het maakt niet uit hoe laat het is. Tijd heeft er nooit toe gedaan op de oever. Op alle andere plekken is tijd een oog op de schouder, een seizoen verder van Güdrun, een wijzer die de momenten wegtikt voor ze er kunnen zijn. Maar niet hier. Ze hoeft nergens heen. Ergens in de afgelopen nacht, of misschien wel veel eerder, bij Frida aan tafel, of tegenover Alexander zelf, heeft ze al besloten haar haastig gemaakte afspraak met het verleden niet na te komen.

Welke kleur heeft schuld?

Julia probeert Olivier voor zich te zien. Zijn bruine ogen, zijn schriele borstkasje waar geen kwaad onder kan schuilen, de smalle schoudertjes waar hij de wereld al op torst. Ze probeert het met al haar zintuigen, zijn onstuimige haar te voelen, zijn zachte wangen, zijn slaapgeur te ruiken. Maar het lukt niet. Olivier is hier niet, de oever is te ver weg. Hij is in zijn wereld, alsof ze geen recht heeft op hem als zij in deze wereld is. Ja, ook dat weet ze ineens heel zeker. Zijn onschuld komt haar niet toe, niet meer, en eigenlijk heeft ze dat nooit gedaan. Misschien is ze van hemzelf, onlosmakelijk verbonden met cognacbruine ogen.

Julia staat op en hurkt in het water, daar waar het warm is en zwarte beestjes aan je huid kleven. Een grillige witte vlek onder een zwarte schaduw. Ze maakt een kommetje met haar handen en schept het vol met water. Koel op koel. Ze ziet de rimpels van haar handpalmen erdoorheen, de ring, de poriën van haar huid. Ze slaat haar handen tegen haar gezicht. Ze voelt hoe haar huid strak trekt, haar neus zijn spieren spant. Als ze haar ogen opent, ziet de wereld er scherper, helderder uit, alsof het water een vlies heeft weggespoeld. Ze schept nog een keer en nog een keer, maar het water vindt het vlies om haar hart niet.

Een zwerm vogels vliegt op uit de struiken vlak achter haar. Koud zweet breekt uit haar schouderbladen. Het blijkt er slechts één, een lelijke kraai die fladdert voor tien. Ze duikt ineen, met een strak oog op het dier dat wegvliegt.

Ze houdt niet van vogels, niet van hun stugge veren en scherpe snavels, en al helemaal niet van hun gefladder. Pas als hij op veilige hoogte is, laten haar spieren haar schouders los, recht haar rug zich langzaam. Tegelijkertijd kruipt een lichte gêne tussen haar wervels naar boven, alsof ze vanachter een struik naar zichzelf kijkt en een ongewassen vrouw ziet met ladders in haar kousen, die bang als een kind in elkaar duikt voor een vogel.

Een zenuwachtig lachje ontsnapt aan haar keel. Ze is aan de oever, er is niemand die haar heeft gezien behalve de kraai.

Ze duwt haar borstkas naar voren en zuigt de koude lucht haar longen in. Terwijl de lucht haar binnenste openzet, sijpelt een aarzelende honger de holte onder haar navel binnen, als traag water dat een ballon vult. Ze pakt een sigaret. Een diepe teug en weg is de honger. Voor nu. Maar nu is goed. Nu is alles wat haar zinnen kunnen beheersen. Geen vroeger. Geen later. Alsof ze is losgemaakt van haar leven, en langzaam wegdrijft op ijle lucht die zo vloeibaar is als een ogenblik.

De Güdrun die ze daar ziet zwemmen, daar in die grijze schaduw van de Spree, die is niet van toen. Het is de wijze, evenwichtige Güdrun die daar met kalme slagen haar snelheid traint. Heeft ze haar kleren uitgedaan? Haar haar in een staart gebonden? Het maakt niet uit, ze zwemt daar nog. Waar is ze gesprongen, vanaf het open stuk waar ze dat altijd deed, of is ze voor de gelegenheid achter het bosje gaan staan? Is ze meteen in het water gedoken of heeft ze geaarzeld? Heeft ze iets gezegd, gedacht? Nu of nooit. Nu dan nooit. Nee, werkelijk, het doet er niet toe. Güdrun zwemt er nog steeds – zie haar gaan, ze vliedt als een paling door het water, doet het water amper rimpelen zo beheerst zijn haar slagen, zo gericht haar spieren op alleen die ene beweging vooruit, vooruit naar het breekbare blank waar de zon schemert, flauw maar onmiskenbaar.

Julia's sigaret maakt een sissend geluid in het water. Ze verdraagt de stoffige smaak in haar mond niet, ze wil de adem van Güdrun, inademen wat zij inademt, de heldere geur van de Spree, met longen die werken om het pompende hart te voorzien van brandstof, genoeg brandstof om het te halen.

Jij had het moeten weten. Julia hoort haar moeder nu luid en duidelijk, de nacht moet de taaie sluier van ongeloof van haar oren hebben gepeld. Ze drukt haar handen op haar oren, natte vingers om buigbaar kraakbeen, maar ze blussen niet. Het koele water om haar hoofd evenmin; het sluit zich als een pasgewassen zijden laken om haar schedel, maar verkoelt de ziel niet. Nog niet. De verdrinkingsdood schijnt een prettige dood te zijn, weet Julia. Je ziet zachte kleuren, wordt gewiegd door de zwaartekracht alsof je terug in de baarmoeder bent, rond als een foetus, als een volmaakte cirkel die terug is bij het begin.

Met kracht maaien Julia's armen, naar boven, naar het licht, tot ze proestend boven water komt. Gierend vullen haar longen zich met lucht, haar voeten trappelen zich vergeefs een weg naar vaste grond onder zich. De afstand in Frida's gezicht, al die jaren, verzweeg geen wrok of woede, geen verwijt. Het was de leugen die zich erin had vastgebeten, de grove onwaarheid die ze glashard door Julia's strot wilde duwen omdat ze die zelf had geslikt.

Dus wie is hier nu eigenlijk de verrader.

Daar vinden haar voeten de bodem. De Spree speelt om haar benen, probeert ze zachtjes weer in de richting van Güdrun te duwen, maar ze houdt ze stevig op de grond. Voor haar lijf geen veilige holte in de moederschoot.

Het water wordt klammer, slaat ijzeren vingers om haar benen en botten en lijkt haar te willen dwingen tot een keuze: of naar Güdrun, of naar de oever. Maar Julia blijft roerloos staan. Ze wil de kou voelen, ze wil dat hij haar huid binnendringt en de vlammen dooft die in haar flanken beuken. Ze wil dat Güdrun, die is gestopt met zwemmen en naar Julia wenkt met haar zorgeloos brutale borsten, hiernaartoe komt, haar armen om haar zusje heen slaat en zeg dat het goed is, dat zij goed is. Dat schuld onder een steen geen kleur heeft.

Nee, ze wil dat Güdrun verder zwemt, met haar sterke slagen de blanke schemer breekt en ongeschonden doorzwemt, zonder spoor van bloedrood achter zich. Zwem maar, zusje. De zon is van jou.

'Julia!'

Julia twijfelt of ze haar naam echt heeft gehoord. Haar klamme lichaam is niet in staat zich om te draaien en te kijken in de richting waar de stem vandaan moet zijn gekomen. Gekraak van takken op de oever.

'Julia!'

Nogmaals die stem, harder nu, schriller. Niet alleen vragen zijn naar de oever gebracht, ook ogen. Julia voelt zich naakt alsof op de kant een heel tribunaal aan ogen staat, gekomen om te verhinderen dat ze ontsnapt in de schoot die haar niet toekomt. Ze durft bijna niet te ademen. Dan voelt ze de lucht bewegen en hoort ze water klotsen. Haar hoofd draait in een impuls. Alsof ze naar een luchtspiegeling kijkt, een flauwe grap van haar geest, blijft ze zonder te bewegen staren naar die ogen, die op- en neergaan op het ritme van het klossen door het logge water en groot lijken van angst, maar waarvoor?

'Julia.'

De handen die haar schouders beetpakken zijn echt, brandende vingers in haar vlees.

'Zeg iets. In godsnaam, doe iets.'

De paniek in zijn stem ook.

'Ik wilde de kou voelen.'

'De kou wat? Kom, je voelt als ijs.' Zonder haar reactie af te wachten slaat Alexander zijn rechterarm om haar schouder, met zijn linkerhand pakt hij haar onderarm beet. Behoedzaam alsof hij een broze bejaarde beetheeft, loodst hij haar naar de oever. Al zou ze willen, haar lichaam heeft geen verweer meer.

'Wacht hier.'

In een paar vlotte sprongen springt Alexander over de struiken. Zijn lijf is breed onder de plakkende kleren. Julia draait zich om naar het water. Het ligt er rustig bij, vredig als een slapend kind, alsof ze er nooit in is gelopen. De blanke schemering tintelt ongebroken.

'Hier.'

Alexander is teruggekomen met in zijn ene hand een wollen deken, in de andere een thermosfles. Hij zet de thermosfles neer en slaat de deken om Julia heen. Als ze de warmte voelt, beseft ze hoe koud ze het heeft. Haar knieën knikken en ze laat zich zakken, op een vreemde manier vertrouwend op de man wiens geur van nat zweet in haar neus dringt, alsof zijn armen de herinnering van iemand anders zijn die zij stiekem heeft gepikt. Met een vanzelfsprekende zorgzaamheid zetten ze haar op de grond. In haar ooghoek ligt haar ingedeukte tas als een net neergegooide plunjezak, haar sigaretten en aansteker ernaast. Hoe lang is ze in het water geweest? Hoe lang stond Alexander daar al?

'Wat doe jij hier?'

Bij wijze van antwoord duwt Alexander haar een thermosbeker hete koffie in haar handen en slaat de deken nog wat dichter om haar schouders. Dan gaat hij naast haar zitten, op een armlengte afstand, turend in het water alsof daar passende woorden te vinden zijn.

'Niets eigenlijk,' zegt hij ten slotte. 'Ik zit hier gewoon graag.' Hij maakt een verontschuldigend gebaar naar de struiken achter hen. 'Als ik op de taxi moet, kom ik er praktisch langs.'

Julia volgt zijn gebaar en herkent nu het gele gevaarte dat verderop boven de takken uitsteekt. Opnieuw boezemt het haar een diepe afkeer in.

'Ik was vergeten hoe stil het hier is,' liegt ze.

Ze is dat nooit vergeten, zoals ze ook niet is vergeten hoe groen het gras nog is in oktober, hoe koel de lucht nog in de lente, hoe de platte steentjes zich voegen in het zand onder haar billen. Het enige wat ze was vergeten, of wat haar geheugen verkeerd heeft opgeslagen, was de kleur van de Spree.

'Dat liedje ging niet over rozen, weet je.'

'Nee?'

'Nee.'

'Waar gaat het dan over?'

'Over roze. Het leven door een roze bril zien, zoiets.' Ze maakt eén afwerend gebaar. 'Iets onbenulligs.'

'Ah. Weer een illusie minder dus.'

Hij zegt het lachend, maar Julia voelt de waarheid van zijn woorden opwellen in haar keel. Een intense moeheid overvalt haar. Ze zou haar hoofd in dat holletje van vroeger willen leggen, tussen die harde atletiekbenen en rustig ademende borstkas. Ze zou willen vertellen over Olivier, over zijn grappige hiklach, de ernst waarmee hij zijn kikkerverzameling beheert, zijn bleke huid die lieve sproeten krijgt in de zomer.

'Hé.' Alexander schuift haar haar uit haar gezicht. 'Zo erg is het toch niet?'

'Nee.'

Abrupt laat hij haar haar los. Julia trekt de deken iets dichter om zich heen, vangt daarbij een vage geur op van nepleer en oud stof. Ze ziet de toeristen voor zich op het bankje achter in de taxi, op de sleetse bekleding hun dikke dijen uit Amerika, uit Nederland, uit landen waar Alexander nooit is geweest en misschien wel nooit zal komen.

'Waarom wilde je de kou voelen?'

Ze kijkt opzij. Alexander tuurt over het water, zijn wenkbrauwen gefronst, zijn blik oneindig ver weg, maar zijn lichaam vlak naast haar. Ze kan hem bijna weer voelen. Zo bijna dat het pijn doet als een zwerende dolk in de rug.

‘Het was Frida.’

Ze observeert nauwlettend het effect van haar woorden, maar Alexander geeft geen kik. Niets in zijn lichaam verraadt dat hij haar heeft gehoord of begrepen, dus ze zegt het nog eens, luider nu.

‘Frida heeft je verraden. Mijn moeder heeft ons verraden. Er was niemand in de muur, het waren Frida’s ogen en oren. Ze volgden mij, ons, overal, wisten dat het niet uit was, wisten wat we wilden doen. Alles, behalve hoe.’

Alexander laat zijn hoofd hangen. Zijn gezicht is verborgen achter de armen om zijn knieën. Als ze zou durven, zou ze zo haar hand op zijn nek kunnen leggen, zijn huid, zijn bloed voelen kloppen. Met een ruk tilt Alexander zijn hoofd weer op en hij kijkt haar aan met een blik waar geen spoor van pijn in valt te bespeuren. Geen blijk van ontzetting, niet eens van ongeloof of schrik. Alleen iets wat op spijt lijkt, en berusting.

‘Ze heeft het je dus verteld.’

Julia hapt naar adem. Hij wist het. Hij heeft het al die tijd geweten.

Traag knijpt Alexander zijn handen tot vuisten, laat ze los, en weer vast, terwijl hij zijn eigen beweging bestudeert alsof die niet van hem is. ‘Die dag dat ze me binnenliet. Ze gaf me thee zonder me aan te kijken, breide om me niet aan te hoeven kijken.’ Julia heeft zijn woorden niet nodig om het voor zich te zien. De stoïcijnse precisie waarmee haar moeder thee inschenkt terwijl Alexander tegenover haar zit, de breinaalden die ze als een schild voor zich houdt. Ze ziet voor zich hoe Frida rustig in haar thee roert, een slokje neemt en haar Jäger-kopje weer neerzet. Dan legt ze haar handen op haar schoot en boort dezelfde onverschillige blik als gisteren in de jongeman tegenover haar, die allang niet meer Alexander is, haar aangenomen zoon die op zondag haar struiken snoeide tot de schrammen op zijn handen stonden. En om er eens en voor altijd af te zijn, van die jongeman die zo vaak voor haar deur staat te schooien dat ze al eens argwanend hebben opgebeld, vertelt ze hem kalm dat ze niet anders had gekund. 'En het vreemde was,' besluit Alexander, 'dat ik het nog begreep ook.'

'Begreep?'

'Ze kon niet anders.' Hij tekent met zijn vinger een cirkel in het zand.

'Dat zei ze, ja.'

'Ze speelden het hard, geloof me.'

'Dat zei ze, ja. En wij maar denken dat we ons leventje aan jouw sportprestaties te danken hadden. Maar nee, het was mijn moeders lafheid.'

'Wat had ze dan moeten doen?'

'Weet ik veel.' Julia slaat haar ogen neer.

'Ze had al een dochter verloren.'

Julia knikt.

'Dat is het.' Ze grist haar sigaretten van de grond en steekt er eentje op. 'Laten we het niet nobeler maken dan het is. Ze wilde mij gewoon bij zich houden.'

'Wil niet iedere moeder dat?'

Alexander kijkt dwars door de dikke rook heen. Twee cognacbruine ogen in haar ziel.

Julia zet haar handen en hielen op de grond en duwt zichzelf overeind. De deken glijdt van haar schouders. Het klamme tweed van haar jasje beschermt als een harnas, maar haar wangen vangen de wind, een tik die haar ogen doet tranen. Ze loopt naar de rivier tot ze het water om haar enkels voelt sluiten. De zon is verdwenen, geen licht meer dat met de rimpels speelt, niets meer wat kan vloeken met breekbaar blank. Güdrun is gestopt met zwemmen en kijkt naar Julia met haar blauwe ogen, die vanaf de oever groen lijken.

‘Het spijt me,’ zegt Alexander. Hij is achter Julia komen staan en legt zijn handen op haar schouders, om haar schouders, een arm om haar borst, een arm om haar middel, stevig, tegen zich aan, alsof het nooit anders is geweest. ‘Je had dit allemaal niet moeten weten.’

Ik had dit juist wel moeten weten, veel eerder.

Hij wiegt haar zachtjes heen en weer. Haar sigaret valt in het water en ze draait zich om. Ze duwt zijn armen weg, zijn lichaam, zijn warmte, zijn alles.

‘Hou op,’ sist ze.

Hij kijkt niet eens geschrokken. Gelaten kijkt hij, alsof hij haar woede al had voorzien. Het maakt haar alleen maar woedender.

‘Laten we nou niet doen alsof het allemaal Frida’s schuld is. Want waar was jij? Jij liet je gewoon wegsturen door haar, de vrouw die jou en mij heeft verraden. Waarom geloofde je haar überhaupt? Dat ik gelukkig was? Hoe haal je het in je hoofd? Alsof mijn moeder dat zou weten – mijn moeder!’

Alexander slaat zijn ogen neer. Julia heeft zin om hem heel hard te schoppen.

‘Mijn moeder had misschien een keuze, ja, maar jij? Jij liet je met een kluitje in het riet sturen en dat was het dan. O, Julia is gelukkig, natuurlijk, dat is heel geloofwaardig, nou, dan ga ik maar. Wat ben je dan voor een slappeling? Wist je niet dat liefde helden nodig heeft?’

‘Ik wel.’ Alexander tilt met een ruk zijn hoofd op. ‘Ik wel. Maar jij?’

Hij heeft vlekjes in zijn ogen, ziet ze, eindelijk heeft hij vlekjes in zijn ogen.

‘Jij bent nog altijd de eerste die opgaf,’ briest hij. ‘Of ben je dat vergeten?’

‘Waar heb je het over?’

'Ik dacht nog, als ik hem zo netjes mogelijk schrijf, dan ziet ze wel dat hij niet echt is, maar nee! Je kreeg een brief en hop, al je vertrouwen was weg. Is het niet in je opgekomen dat er misschien meer aan de hand was? Dat datzelfde systeem dat jouw zus vermoordde, mij ook in zijn greep had? Nooit aan gedacht, of was je al te zeer verblind door de zon?'

Zijn woorden slaan haar op de wangen, links, rechts, een vuist recht op haar ogen, maar ze houdt ze open, wijd open gericht op hem, altijd op hem, het was altijd hij.

'Als iemand een keuze had,' vervolgt hij op een uitgebluste toon die haar lijf openscheurt en alles wat ze in zich heeft eruit laat vloeien, 'een keuze om te geloven in ons, in ooit, in onze lindeboom, dan was jij het wel.'

Waar zijn de woorden om te vertellen dat hij gelijk heeft, en ongelijk? Dat ze wel wilde, maar dat het geen keuze is om illusies te koesteren, niet als een flintertje realiteit zich aandient, dat zou hij begrijpen als hij het zou weten, hij zou het ermee eens zijn, hij zou haar een goede moeder vinden. Maar de woorden zijn er niet.

Ze draait zich om.

Daar in het water, bij Güdrun, daar zijn ze, ze neemt ze mee, kijk daar gaat ze, ze zou het willen zeggen, dat wel, maar haar keel zit dicht, dus ze strekt haar vingers en reikt naar achteren. Daar is hij, hij pakt haar hand, haar hele hand in de zijne en ze knijpt.

Ze wentelt zich in zijn armen en duwt zijn gezicht in haar hals, snoert hem de mond met haar haren, haar lippen, met alles wat ze heeft. Door de struiken schemert het gele gevaarte en ze sluit haar ogen. Ze voelt hoe de zuurstof de weg naar haar longen terugvindt, en haar huid begint te trillen, vleugels die dwarrelen.

Alexander trekt haar dichter tegen zich aan, of zij hem, zijn huid raakt door alle stof heen de hare, en als ze zou willen, zou ze de laatste dolk in zijn rug, hun flintertje, met een vloeiende beweging eruit kunnen trekken. Kwestie van centimeters.

Plotseling laat hij los.

‘Kom,’ zegt hij, en hij heeft vlekjes in zijn ogen.

Als het water haar optilt voelt ze hoe de kou loslaat en warmte haar omvat, als dc zon in augustus. Ze ziet zichzelf lachen. Het moet wel dat ze toen lachte.

Amsterdam, oktober 1990, Raamgracht

De kin van de man tegenover Julia is eigenlijk op het weke af smal. Het valt haar nu pas op, en ze vraagt zich af of er eerst een klein baardje heeft gezeten, een snor misschien, iets wat zijn knulligheid heeft verdoezeld die nu zo naakt is.

'Ik moet zeggen, Günzburg,' zegt hij terwijl hij met zijn hand over zijn kin strijkt, 'dat ik mijn twijfels had. Maar ik was ervan overtuigd dat je het in je had. En ik had gelijk.' De hoofdredacteur werpt haar de krant toe, die zo vers is dat Julia de inkt ruikt.

Zonder iets te zeggen pakt ze de krant, het papier ritselt nerveus onder haar vingers. Dan laat ze haar blik vallen op Frida, die haar aanstaart vanaf een griezelig grote foto die de hele linkerpagina beslaat en haar moeder toont in vol ornaat, van de lippenstift en noppenjurk tot de scherven aan haar voeten. Haar onverschillige blik vormt een bitter contrast met de glorie van wat ooit was en fier werd gedragen, geliefd misschien ook wel. Het is precies wat de foto zo mooi maakt, en ongetwijfeld de reden waarom de hoofdredacteur deze heeft uitverkoren als openingsfoto. Julia vermoedt dat ook goede fotografen weinig vrienden hebben, evenals goede hoofdredacteuren.

BERLIJN IS VRIJ, koppen grote letters op de rechterpagina.

'Nu de mensen nog,' leest Julia er in kleiner font onder. De kop bevalt haar, maar het intro eronder roept al bij de eerste woorden een misselijkmakende weerzin op. Haar ogen vliegen over de zinnen die saillant reppen over een moeder die haar bloedeigen dochter verraadde aan de Stasi en haar daarmee uit de armen van haar verloofde dreef. Ze zoeken naar een nuance die pijnlijk afwezig is.

'Tevreden?'

Julia kijkt op. 'Nou,' hakkelt ze, 'ik weet niet. Het is zo wel erg zwart-wit.'

'Zwart-wit,' buldert de hoofdredacteur. 'Dat is het precies, Günzburg. Wat had je anders gedacht, een kleurendruk?'

Julia staart in ogen die haar niet aankijken.

De hoofdredacteur maakt een wegwerpend gebaar. 'Een stevig intro hoort erbij, Günzburg. Mensen moeten het wel willen lezen, hè.'

'Ik dacht dat het zo'n goed artikel was.'

'Dat is het. Een topstuk. De eerste *Inoffizielle Mitarbeiter* bekent, *I'm impressed*, echt, dat je die vrouw zover hebt weten te krijgen. Hoe heb je haar eigenlijk gevonden?

Ze vouwt Frida op en legt haar terug op tafel. 'Viavia.' Ze zoekt naar het laatste woord over het intro, maar de hoofdredacteur buitelt eroverheen.

'Nou, neem van mij aan, dit is vakwerk.' Hij leunt achterover in zijn stoel. 'Wat zou je ervan vinden om dit vaker te doen?'

'Wat bedoelt u?' vraagt ze zuinig.

'Kom op, Günzburg, niet zo preuts.' De hoofdredacteur schiet naar voren en plaatst zijn ellebogen op de stapel papieren op zijn bureau. De rugleuning van zijn stoel buigt vervaarlijk mee naar voren achter zijn iele bovenlijf. 'Ik bied je een baan aan. Een echte. Geen gefröbel meer, ik wil dat je correspondent wordt. Standplaats Berlijn. Eerst nog even een paar maanden op de redactie, het vak leren, de finesses, je handen vuilmaken, zeg maar. En daarna, als je het goed doet, *the works*.'

Julia staart in zijn weke grijns, die niet eens een vraagteken heeft, zo overtuigd is hij van haar, of liever: van zichzelf.

'Wat zeg je ervan?' De hoofdredacteur leunt weer naar achteren tot hij in een hoekig tableau van zwart leer baadt. Zijn vingers trommelen op de rand van het bureau. 'Als je twijfels hebt vanwege je kind, dat regelen we wel.'

Een moment lang kijkt ze naar haar vingers. Ze drukt haar wijsvingers tegen haar duimen en voelt de druk van haar nagels in haar vlees, een heel moment lang waarop ze ja zou kunnen zeggen tegen een toekomst die naadloos zou aansluiten op haar nieuwe verleden. Dan tilt ze haar hoofd op.

'Ik voel me gevleid,' zegt ze. 'Maar ik vrees dat ik nee moet zeggen.'

De triomf in het gezicht van de hoofdredacteur verstomt.

In de hoek van haar blikveld ziet ze de redactie door de luxaflex schemeren, de bureaus in het gelid, de beeldschermen die boven de gebogen hoofden uittorenen, de toetsen die de stilte breken met een werktuiglijk ritme.

'Mijn plaats is hier, in Amsterdam,' zegt ze zacht, en ze knikt. 'En die van mijn zoon ook.'

De hoofdredacteur kijkt haar aan met grote ogen van ongeloof, maar ze hebben geen vat op de woorden die uit Julia's mond lijken te rollen alsof ze ze heeft ingestudeerd.

'En dan nog iets,' gaat ze verder. 'Ik ben geen journalist. Ik ben een duizendpoot.'

"Wablief?'

Julia recht haar rug. 'Ik ga studeren.'

De wenkbrauwen van de hoofdredacteur rijzen in een hoge boog en even is ze bang dat hij hetzelfde zal zeggen als Ysbrand. Maar dan lacht hij, een lach in plaats van een grijns, en hij knikt. 'Heel goed,' zegt hij, en hij meent het, dat ziet ze.

Voor ze opstaat en naar de deur loopt, werpt ze nog een laatste blik op de krant.

Nee, ze lijkt niet op haar moeder.